COLLECTION

F A   L
Mon **BIG** à moi
U L E U X   V R E   É A N T

ANDARA

Mon BiG d'moi

LES zozos DU SPORT

Le livre des records réglisse!

Marilou Addison

ANDARA

Catalogage avant publication de Bibliothèque et Archives
nationales du Québec et Bibliothèque et Archives Canada

Addison, Marilou, 1979-
Les zozos du sport

(Mon BIG à moi)
Pour enfants de 8 ans et plus.

ISBN 978-2-924146-44-6

I. Titre: Les zozos du sport

PS8551.D336L64 2015   jC843'.6   C2015-941015-0
PS9551.D336L64 2015

Écrit par Marilou Addison
Illustré par Richard Petit

Dépôt légal : Bibliothèque et Archives
nationales du Québec, 3ᵉ trimestre 2016

ISBN 978-2-924146-44-6

Imprimé au Canada

Gouvernement du Québec – Programme de crédit d'impôt
pour l'édition de livres – Gestion SODEC
Andara éditeur remercie la SODEC
pour l'aide accordée à son programme éditorial.

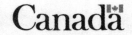

Financé par le
gouvernement
du Canada

info@andara.ca
www.andara.ca

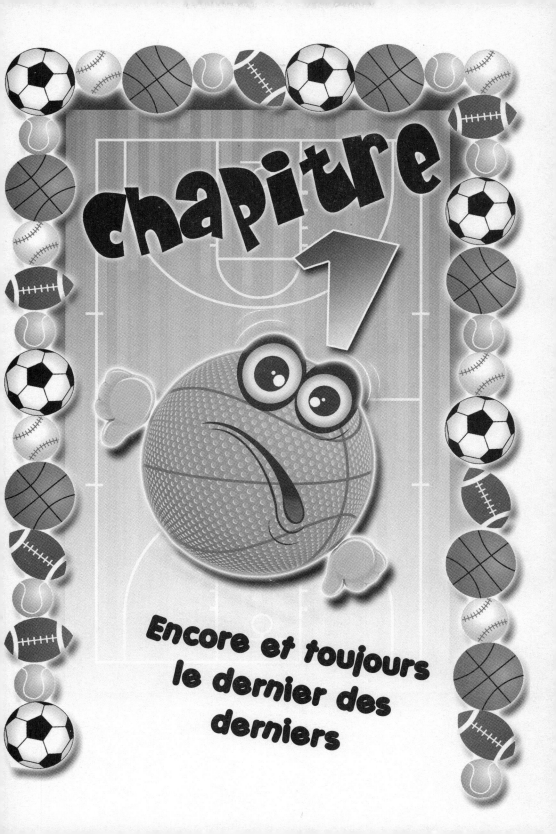

chapitre 1

Encore et toujours le dernier des derniers

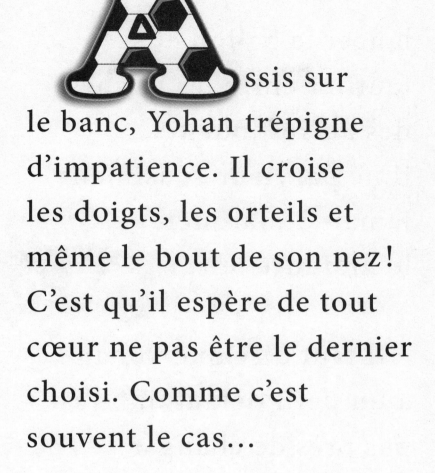**A**ssis sur le banc, Yohan trépigne d'impatience. Il croise les doigts, les orteils et même le bout de son nez! C'est qu'il espère de tout cœur ne pas être le dernier choisi. Comme c'est souvent le cas...

Car Yohan a beau adorer faire du sport, sauter un peu partout,

lancer le ballon et se
faufiler entre les jambes
des autres joueurs,
il ne parvient quasiment
jamais à marquer
le moindre but... **ZUT!**

Il faut dire que Yohan
a un petit défaut qui n'est
pas près de changer :
il est **MINUSCULE**. Il est
le plus petit de sa classe,
filles comprises. La preuve :
c'est à peine s'il arrive à

la hauteur du bureau
de son enseignante,
madame Odile!

Yohan ne peut donc
JAMAIS s'asseoir à
l'arrière, dans la classe,
car il n'y voit que
des derrières de têtes.
Et lorsqu'il a un cours
de basketball, c'est la...

L'équipe adverse réussit à l'intercepter en quelques secondes à peine.

De plus, le garçon arrive difficilement à lancer le ballon dans le filet, puisque les muscles de ses bras sont trop maigres, eux aussi.

Ce qu'il donnerait pour grandir de quelques centimètres, durant la nuit…

Yohan ne l'avouera pas
à voix haute, de peur
que cela se réalise, mais
il accepterait même
de manger du brocoli,

BEURK!

si ça   pouvait
lui faire gagner
un pouce ou deux...

Aujourd'hui, au gym,
c'est Mathéo qui a été

nommé capitaine. Ce qui
est tout à fait normal,
puisque Mathéo est à
la fois le plus grand
de la classe, le meilleur
dans **TOUS** les sports **ET**
le chouchou du prof.

Il se tient droit,
les jambes écartées,
le bras droit levé devant
lui, à la recherche de
son prochain coéquipier.
Son doigt passe devant

Yohan sans même ralentir une fraction de seconde. Il s'arrête plutôt sur Matilda, reconnue autant pour ses milliers de tresses que pour son agilité à se balancer les fesses. En effet, Matilda danse très très bien, il faut le reconnaître, mais… elle joue comme un pied !

Yohan fait la grimace. Ils ne sont plus que deux

13

sur le banc, à attendre
d'être choisis par une
équipe. Yohan jette un
coup d'œil à sa droite.
Là, tout près de lui,
il reste encore Bastien.

Celui qui porte des
lunettes aussi épaisses
que des fonds de bouteille.
Celui qui a de la difficulté
à voir à plus d'un mètre
devant lui. Mais Bastien
a un avantage sur Yohan.

Il est grand, lui...
Et même avec son
handicap visuel,
il parvient parfois
à toucher le filet
avec le ballon.

Lorsque Bastien est
nommé pour rejoindre
l'équipe adverse, Yohan
n'est pas surpris, mais
ses épaules s'affaissent.

Il retient ses larmes.
Le garçon a tout de
même de l'orgueil. Alors
il se lève à son tour pour
se diriger vers l'équipe
de Mathéo, mais leur
professeur de gym,
Jean-Noah Lesgrosbras,
lui fait signe de rester
où il est.

—Puisque les deux
équipes sont complètes,
Yohan, tu nous serviras
d'arbitre, cette fois.
D'accord?

—Mais, s'exclame
aussitôt Mathéo, il ne
pourra jamais voir le jeu
correctement! Il est
beaucoup trop petit!!!

Yohan serre les poings,
humilié. **Il DÉTESTE** cette

situation. S'il le pouvait, il simulerait un mal de ventre et se dépêcherait de quitter le gymnase. Heureusement, le prof vient à son secours, même si sa réponse est un peu insultante...

— Yohan est bien assez grand pour voir les lignes sur le plancher. Bon, on joue, oui ou non? Allez hop, chacun en position!

Et n'oubliez pas, je note vos performances et ce sont les meilleurs joueurs qui affronteront l'École des Matelots lors des olympiades de la semaine prochaine !

Bref, Yohan se doute que ses chances sont très **TRÈS minces**…

Et la partie débute.
Yohan court dans tous
les sens, pour ne rien
manquer du jeu. Toutefois,
il ne parvient pas toujours
à suivre le rythme.

Il s'enfarge dans
les jambes des joueurs,
se fait bousculer s'il se
place trop près d'eux et
finit par recevoir un ballon
sur la tête avant la fin de
la première période.

Désorienté et voyant des petits oiseaux tourner autour de lui, il se tient la tête à deux mains. Jean-Noah Lesgrosbras le renvoie sur le banc, découragé.

Décidément, Yohan ne sera jamais un « grand » joueur de basketball.

Qu'à cela ne tienne, le **SEUL** sport auquel il aspire, depuis un moment déjà, c'est le soccer.

S'il pouvait être accepté dans l'équipe de leur école, il serait aux anges. D'ailleurs, son but ultime est de participer aux olympiades qui se tiendront ce week-end.

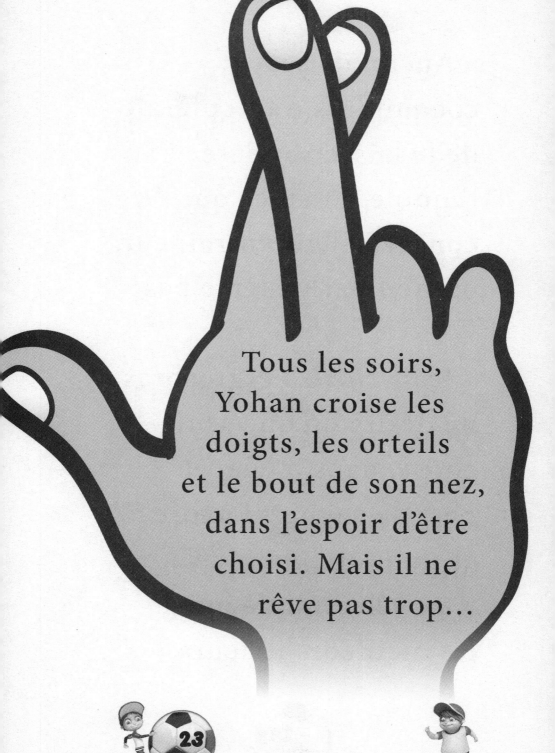

Tous les soirs, Yohan croise les doigts, les orteils et le bout de son nez, dans l'espoir d'être choisi. Mais il ne rêve pas trop...

Aucun de ses coéquipiers n'accepterait de le laisser intégrer l'équipe. Et en ce qui concerne leur entraîneur, on n'en parle même pas !

Jean-Noah Lesgrosbras ne désire qu'une seule chose, dans la vie, et c'est de gagner. Encore et toujours. Pour cela, il ne sélectionne que les meilleurs joueurs.

Dont Yohan ne fait
aucunement partie.

Dans le gymnase,
la partie n'est pas terminée
pour autant. Pendant
que Matilda se brasse
les fesses, que Bastien
échappe ses lunettes et
que Mathéo compte son
douzième point, Yohan
voit les oiseaux autour de
sa tête grossir, grossir,
grossir...

En fait, ils deviennent si énormes que le garçon en perd l'équilibre et se retrouve sur le plancher.

Vite, c'est l'état d'urgence autour de lui. Jean-Noah Lesgrosbras appelle l'infirmière à l'interphone, la moitié des élèves s'envoient des textos pour

annoncer la nouvelle à
leurs amis, tandis que
la rumeur se répand
dans l'école.

On transporte le garçon sur une civière à travers les couloirs jusqu'à l'infirmerie, où madame Seringue l'attend.

OUPS!

Elle ausculte Yohan de bas en haut, puis de haut en bas. Étant donné qu'il est si petit, la manœuvre ne prend pas beaucoup de temps.

Rien ne semble aller de travers chez cet enfant, constate l'infirmière.

Elle examine ensuite sa tête pour s'assurer qu'il ne souffre pas d'une commotion cérébrale. C'est à ce moment qu'elle découvre une bosse si énorme que Yohan a de la difficulté à poser le crâne sur l'oreiller.

Jugeant le cas de cet élève plutôt grave, madame Seringue décide d'appeler ses parents.

Elle abandonne Yohan dans le noir, une serviette humide sur les yeux. Toujours couché sur la civière, le jeune garçon entend une drôle de voix s'adresser à lui...

HOOOUUUUUU!

chapitre 2

Une fée marraine, pour vous servir

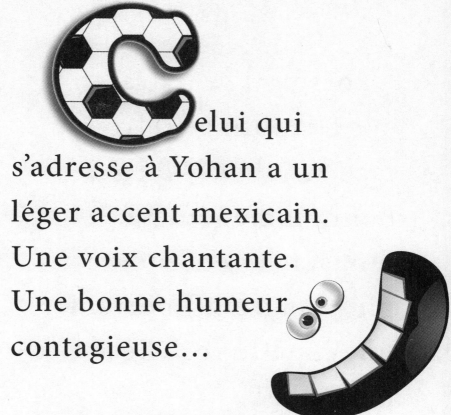

Celui qui s'adresse à Yohan a un léger accent mexicain. Une voix chantante. Une bonne humeur contagieuse…

— Bonyour, pétite hombre! Trèèès heureux dé faire ta connaissance!

Yohan porte la main à son visage et se débarrasse de sa serviette.

Lorsqu'il se redresse
et s'assoit, il se retrouve
face à... un **ENORME**
bonhomme joufflu,
moustachu et (encore
plus saugrenu) portant
une jupette rose de
ballerine !

Dans ses mains,
il tient un long bâton rose
ressemblant étrangement à
une baguette magique !

— Qui êtes-vous ???
Et qu'est-ce que vous faites
là ??? s'exclame Yohan,
abasourdi.

L'homme pose les mains
sur ses hanches et lui fait
un grand sourire, avant
de lancer :

— Yé souis ta fée marraine,

— Mais, mais…, baragouine Yohan. Vous ne pouvez pas être une fée marraine! Et ça veut dire quoi, « PÉTITE HOMBRE » ?

— Ça veut dire « PÉTITE HOMME! » ! Et yé peux savoir pourquoi yé né pourrais pas être oune fée?

— Parce que… VOUS ÊTES UN HOMME!

Et en plus, je ne veux pas
vous insulter, mais…
vous portez un tutu !

YEP !

— Hum… yé vois
qué tou es oune fine
observateur, pétite
homme ! Bon, si ça peut
té faire plaisir, yé souis
ta fée parraine, alors.
Ça té va ?

Éberlué, Yohan parvient néanmoins à hocher la tête. Il se dit que c'est sûrement un effet du choc qu'il a subi. Que cet homme va finir par disparaître. Il croise même les doigts en espérant que cela se fasse dans un délai le plus court possible...

—Bon, cé point étant
réglé, reprend l'inconnu,
yé mé présente : tou peux
m'appeler Luigi ! Yé souis
une fée espagnole, tou
comprends...

—**Luigi** ? Comme dans
Mario Bros ? s'exclame
Yohan, soudainement
intéressé.

— **Pfff**, répond l'homme-fée, en balayant l'air devant ses yeux. Si tou veux, oui. Yé souis ici pour oune raison, pétite homme.

À ce moment, la voix de l'infirmière se fait entendre dans le couloir. Lorsqu'elle ouvre la porte de la pièce et pénètre à l'intérieur de celle-ci,

un **POUF** retentit
à côté de Yohan. Luigi
vient de disparaître.
Le jeune garçon ouvre grand
les yeux, impressionné,
et écoute à peine ce
que madame Seringue
lui explique.

—Je viens de parler à tes
parents. Ils font dire de te
reposer. Ils ne peuvent pas

venir te chercher tout
de suite, alors tu devras
attendre la fin de la
journée pour retourner
chez toi. Mais tu ne
sembles pas si mal en
point. Préfères-tu rester
ici ou retourner en classe?

—Euh, je…, débute-t-il,
alors qu'un second **POUF**
résonne derrière lui,
à quelques centimètres
du sol.

Caché par la civière, Luigi est accroupi et tente de ne pas se faire voir de l'infirmière, malgré son gros ventre et son accoutrement pas du tout subtil. Il murmure quelque chose à Yohan, qui ne comprend pas très bien.

Reste ici, pétite homme...

—Je, ben… je me sens correct pour retourner…

—**Nooooon!** lâche Luigi, en haussant la voix.

—Pardon, qu'est-ce que tu viens de dire? demande madame Seringue, en fronçant les sourcils.

POUF! Luigi disparaît de nouveau. **RE-POUF!** Le voilà qui réapparaît

derrière l'infirmière,
cette fois. Il fait de grands
gestes pour tenter de
se faire comprendre
de Yohan, qui est plus
mêlé que jamais.

—Écoute, je te laisse te
reposer encore un peu,
conclut madame Seringue,
qui n'est pas rassurée du
tout par l'état du garçon.
Dans une heure, je
reviendrai te voir.

Si tu vas mieux, je te permettrai de partir, d'accord ? décide-t-elle, avant de se tourner vers la porte... **ET LUIGI** !

POUF ! Celui-ci s'est évanoui à la dernière seconde.

Lorsqu'elle sort et referme derrière elle, Yohan n'est pas surpris de voir ressurgir la fée, flottant dans les airs.

47

— ...,
murmure-t-il. Tu es
vraiment une fée, alors !
Tu peux disparaître et
apparaître à volonté.
C'est génial ! Et tu peux
voler, malgré ton poids !

—Qu'est-ce qu'il a,
mon poids ? demande
Luigi, en stoppant net.

—Rien, rien ! Je voulais
juste dire que... tu ne dois
pas être très léger.

—Yé né comprends pas dé quoi tou parles. Mais peu importe. Il faut qué yé t'explique pourquoi yé souis vénou té voir. Prémiérement, y'ai sou qué tou étais trrrès malheureux... Pourquoi?

Yohan soupire, baisse les yeux, puis se lance dans l'explication de ses malheurs. S'il était plus grand, le monde lui paraîtrait beaucoup plus accessible. Il n'en demande pas beaucoup. Que quelques centimètres, après tout !

Durant son discours, Luigi hoche la tête, se frotte le menton, fronce les sourcils, fait la grimace et se fouille même dans les narines une fois ou deux.

Puis, lorsque Yohan se tait, l'homme-fée lève sa baguette dans les airs, l'agite à toute vitesse et marmonne des paroles incompréhensibles, qui ressemblent vaguement à :

«Abracadabri, abracadabra,

yé souis la meilleure fée
qui soit... et y'aimerais
qué cet enfant soit
heureux à nouveau!»

Luigi redescend alors
la baguette et touche
doucement le front
du garçon. Une gerbe
d'étoiles éclate dans la
pièce, rendant Yohan
momentanément aveugle.
Lorsque la lumière
diminue, le garçon
constate qu'il tient un
objet dans ses mains.

Il s'agit d'un livre plus
épais que le dictionnaire

qu'il utilise pour faire
ses devoirs de français.
Et sur la couverture,
on peut lire le titre,
gravé en lettres d'or :

—Qu'est-ce que c'est que ça ? demande Yohan, en ouvrant de grands yeux impressionnés.

—C'est oune livre des records. Mais pas n'importé lesquels...
Les records réglisse!
Y'aimerais qué tou y yettes

oune coup d'œil. Peut-être qué tou y trouvéras des épreuves qui té plairont. Et té féront oune peu oublier les olympiades dé cé week-end.

Luigi s'éclipse dans un **POUF!** d'étincelles. Yohan lui crie aussitôt, sans savoir s'il peut être entendu :

— Attends ! Comment je fais pour te rejoindre ?

Une voix s'élève dans la pièce, même si Luigi demeure invisible.

— Tou n'auras qu'à té pincer lé nez et à dire trois fois lé mot « **zigoto** ». Ensuite, tou sautes sour tes pieds, tou fais oune pirouette et…

— Une minute, je vais le noter! C'est vraiment compliqué! le coupe

Yohan, en écrivant le tout sur la première chose qui lui tombe sous la main, c'est-à-dire un mouchoir déjà utilisé qui traîne au fond d'une de ses poches.

re-ouache!

— Après ta pirouette, c'est trèèès facile. Tou sors la langue et tou essaies dé toucher lé bout de ton nez. Finalement, tou cries :

« Fée Luigi, viens ici ! »
Voilà ! Simple comme
bonyour !

— Comme **bonyour** ?
répète Yohan.

— Si, comme **bonyour** !

— Mais… ça veut dire
quoi, **bonyour** ?

—**bonyour** ! Comme **bonne yournée** ! s'énerve la fée, qui n'aime pas qu'on rie de son accent.

—Aaaah! BonJour! Désolé, je n'avais pas compris !

—Bon! Yé dois y aller ! Maintenant, tou dois lire lé livre…, termine Luigi, dont la voix commence lentement à s'éteindre.

Demeuré seul dans l'infirmerie, Yohan passe sa main sur le gros manuel. La couverture est douce et elle provoque de petits chocs sous ses doigts.

À ce moment, la cloche résonne dans l'école,

DRiiiiiiiiiiING!

signe que l'heure du dîner vient de débuter.

Comme il se sent très bien, le garçon cache le livre sous son chandail et décide d'en examiner le contenu un peu plus tard. Quand il sera seul chez lui. En attendant, il doit encore essayer de convaincre Jean-Noah Lesgrosbras qu'il est capable de participer aux olympiades...

chapitre 3

Une défaite cinglante, un surnom ridicule et une idée de génie!

Les textos se déchaînent. Chacun y va de son commentaire. On sent la frustration de tous les joueurs.

C'est totalement injuste! On aurait dû gagner! Ils ont triché, j'en suis sûr!

Mathéo

En plus, l'arbitre était de leur bord !

Bastien, tu aurais dû mettre tes lunettes pour jouer ! Ainsi, tu n'aurais pas compté DEUX fois dans ton propre but !

Matilda

Et moi, j'aurais peut-être dû essayer mon nouveau pas de danse. Ça m'aurait permis d'éviter le joueur qui m'est rentrée dedans…

En tout cas, il y a un joueur qui n'aurait pas dû être là…

Simon

JE SAIS!!!

Mathéo

Si au moins ils ne nous avaient pas écrasés 20 à 1!

Fred

On a été NULS!

Pas si nuls...
Chose certaine,
on ne méritait
pas ce surnom
affreux !

Marianne

Quel surnom ?

Yohan

71

L'ÉCOLE DES ZOZOS!!!

72

Yohan relève la tête
de son téléphone et avale
difficilement sa salive.
C'est pire que pire !
Maintenant, son école
va devenir la risée de
toute la ville. Et c'est
un tout **petit** petit petit
peu de sa faute...

C'est que... lorsqu'il est
revenu chez lui, son livre
de records sous le bras,
le garçon avait à peine

73

franchi le pas de la porte que son cellulaire se mettait à sonner. Et un message provenant de son entraîneur s'y inscrivait :

ZiouuuP!

Jean-Noah Lesgrosbras

Yohan! Es-tu disponible pour faire partie de notre équipe de soccer ce week-end? Il nous manque un joueur...

Vif comme l'éclair,
le garçon avait répondu,
le cœur battant.

Je croyais que
vous étiez
complets ?

Yohan

75

Jean-Noah Lesgrosbras

Malheureusement, il y a une épidémie de gastro et la moitié de l'équipe est sur le carreau. On a besoin d'un joueur pour être acceptés. Ne crains rien, je te laisserai sur le banc, ce n'est que pour respecter les règlements.

C'est bon,
je serai là !!!

Yohan

Évidemment, Yohan
n'avait aucune intention
de rester sagement assis à
regarder les autres jouer.
C'est pourquoi il a sauté
sur le terrain dès qu'il en
a eu l'occasion. Et même
lorsque son entraîneur
lui a hurlé de revenir

77

s'asseoir, il ne l'a pas écouté. Avec les conséquences que l'on connaît.

À savoir que son équipe a perdu...

LAMENTABLEMENT!!!

Assis sur son lit, Yohan se laisse tomber sur son oreiller en soupirant. Mais quelque chose de dur lui heurte le derrière de la tête. Justement là où il a encore une petite bosse, souvenir de son dernier cours de gym.

Il soulève le coussin et y trouve le livre des records Réglisse.

Avec ses mésaventures
du week-end, Yohan avait
complètement oublié
Luigi, son livre de records
et son conseil de lire
le manuel.

S'il ne l'a pas fait jusqu'à
présent, c'est d'abord
parce qu'il a participé
aux olympiades, mais
aussi parce que, du haut
de ses huit ans, Yohan n'a
quasiment jamais ouvert
un livre !

Parmi les choses que le garçon déteste dans la vie, il y a :

 Manger du brocoli

Jouer à la corde à danser avec sa cousine Annie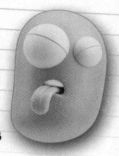

 Aider mamie à faire des biscuits

ET

Quand sa mère lui dit : «Assieds-toi et lis !!!»

C'est pourquoi il a tant
fait traîner les choses...
Mais une phrase de Luigi
lui revient en mémoire.
Celui-ci lui a bien dit
qu'il y avait des épreuves
qui lui feraient oublier

les olympiades du week-
end. Peut-être tient-il entre
ses mains **LA** solution à
ses problèmes???

De nouveau, il passe
les doigts sur le dessus
du livre, ce qui lui procure
des milliers de petits chocs
électriques.

Intrigué, il soulève
lentement la lourde
couverture, puis il prend

83

quelques minutes
pour lire le texte
d'introduction.

« Tu viens d'ouvrir **LE**
célèbre livre des records
Réglisse! Rien de moins!
Et dans les pages qui
suivent, tu découvriras

des sportifs de tout acabit, qui ont su utiliser leur imagination pour dépasser leurs limites…

« Ils ont ainsi été capables de performer dans des disciplines encore inconnues du grand public. Si, à ton tour, tu aimerais que ton nom apparaisse dans ce grand livre, rien de plus simple. Voici la marche à suivre :

1 Inscrire le nom de ton école au Grand Concours des Records Réglisse.

2 Choisir CINQ épreuves dans lesquelles vous devrez tenter de remporter le premier prix.

3 Choisir quatre écoles contre qui vous pourrez concourir.

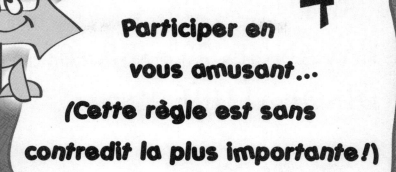

4 Participer en vous amusant... (Cette règle est sans contredit la plus importante!)

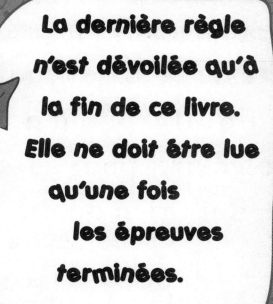

5 La dernière règle n'est dévoilée qu'à la fin de ce livre. Elle ne doit être lue qu'une fois les épreuves terminées.

87

SI TU LA LIS À
L'AVANCE, TU SERAS
DISQUALIFIÉ!!! »

OUPS, dire que
Yohan était à deux doigts
de tourner les pages en
vitesse pour se rendre à
la fin! Il reprend donc
sa lecture, pour s'assurer
qu'il n'a rien oublié.

« Maintenant que
tu connais les étapes,

tu peux lire les différents records déjà établis. Bonne rigolade!»

Sans trop savoir ce qui l'attend, Yohan tourne la page et tombe sur une épreuve intitulée:

LE LANCER DE LA BANANE

« Choisir une banane bien jaune. Si elle a des petites taches brunes, c'est encore mieux. Tenez-la fermement entre votre pouce et le reste de vos doigts. Installez-vous sur un terrain où vous ne pouvez rien accrocher. Prenez votre élan, puis lancez-la ! La banane qui se rend la plus loin gagne ! Vous avez trois essais chacun. »

Yohan éclate de rire. , voilà une épreuve qui risque de faire des éclaboussures. Pour lui donner raison, une image de la chose a été imprimée tout en bas de la page. On y voit un jeune garçon tenant fièrement sa banane, qui s'est ouverte et qui a taché son chandail.

— Voyons voir quelle est la prochaine épreuve…, murmure Yohan avec le sourire, avant de tourner la page de nouveau.

LE COMBAT DANS LE MACARONI

«Faites cuire des tonnes et des tonnes de macaronis.

« Mettez-les dans une petite piscine. Munissez-vous de gants de boxe. Et tentez de battre votre adversaire ! Les coups à la tête ne sont pas permis, sauf s'il s'agit de coups de macaronis. »

Avec image à l'appui, la compétition est tout à fait loufoque. Toujours en riant, Yohan saute à la prochaine épreuve.

LE PLUS GRAND BUVEUR DE LAIT AU CHOCOLAT

«Prendre le plus grand verre dont vous disposez. Le remplir de lait au chocolat. À go, les participants doivent en boire tout le contenu, sans s'arrêter. S'ils en échappent une goutte, ils échouent et sont aspergés de lait au chocolat de la tête aux pieds!»

95

Sur la photo, on peut voir une jeune fille dégoulinante de lait au chocolat.

N'en pouvant plus, le garçon se tient le ventre à deux mains, car il a mal tellement il rit à gorge déployée. Ces défis sont incroyables, extravagants, abracadabrants, bref, juste troooop BIG !

Yohan cesse enfin de rire pour se concentrer sur l'idée qui vient de germer dans son esprit. Une idée de génie, rien de moins! Une idée, d'ailleurs, qui va nécessiter l'intervention d'un génie! Ou d'une fée, plus exactement...

chapitre 4

zigoto! zigoto! zigoto!

Ce n'est pas aussi compliqué qu'il y paraît d'appeler une fée marraine...

omment
fait-on, déjà, pour appeler
ladite fée ? Yohan réfléchit
et lève le doigt, signe qu'il
a trouvé la réponse.

Il a écrit la marche à
suivre sur un bout de
mouchoir… Oui, mais
voilà, il doit maintenant
le retrouver !

  101

—Je crois que je l'avais laissé dans mon pantalon, marmonne le jeune garçon.

Il part donc à la recherche du pantalon dans le capharnaüm de sa chambre. La mission s'annonce difficile, car son lit est recouvert de tonnes de jouets. En dessous, il a caché des boîtes de biscuits pour

ses fringales nocturnes.
Sans oublier que quelques
mottons de mousse y ont
établi leur quartier
général.

Le reste de la chambre
n'est guère en meilleur
état. Des toutous (hé oui,
Yohan dort encore avec
ses toutous fétiches...

la honte!) traînent sur
le plancher, tout près
d'une pile de vêtements
sales.

Des vêtements sales…

Le garçon saute
dans le tas sans se soucier
du fouillis. Il jette derrière
lui les morceaux qui ne
l'intéressent pas.

Chandails crottés
de sauce spaghetti,
bas ratatinés à odeur de
fromage bleu et pantalons
couverts de boue sur
les genoux. Mais nulle
trace du pantalon
contenant le mouchoir
utilisé…

Découragé, Yohan se laisse tomber par terre et réfléchit. Où a-t-il bien pu cacher son pantalon??? Il reste là une bonne dizaine de minutes, avant que sa mère arrive dans le couloir et passe la tête dans le cadre de sa porte.

—Mon **MINI-CHOU**,
n'oublie pas de m'apporter
ta corbeille de linge.
Je suis en train de faire
une brassée de lavage.

Et elle repart là-dessus.
Yohan, qui vient d'ajouter
le surnom de «mini-chou»
à la liste des choses qu'il
DÉTESTE dans la vie,
saute sur ses deux pieds
et court derrière sa mère.

— MAMAAAAAN!!!

Ne mets pas mon pantalon dans la laveuse!!!

Mais il est trop tard... la machine est déjà démarrée... et le mouchoir utilisé risque d'en ressortir en plusieurs morceaux!

— Zut, alors! s'écrie Yohan, en posant les mains contre la vitre de la laveuse et en regardant

son pantalon tourner et tourner sur lui-même.

— Si tu cherches un truc qui était dans tes poches, je les ai vidées avant de faire la lessive, tu sais.

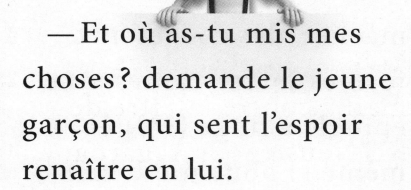

— Et où as-tu mis mes choses ? demande le jeune garçon, qui sent l'espoir renaître en lui.

Sa mère lui pointe un endroit sur le comptoir. Sans attendre une seconde de plus, Yohan fouille dans la montagne de petits objets qu'il oublie constamment dans ses poches.

Une vieille gomme à mâcher, des roches aux formes intéressantes, une épingle à linge (???) et même le bouchon d'une

bouteille de jus.
Mais toujours aucun
mouchoir...

— **MAMAAAAAN!!!**

Où as-tu mis le mouchoir
qu'il y avait dans mes
poches?

— Tu veux parler
du vieux mouchoir
utilisé? Voyons, dans
les poubelles, évidemment!

Yohan se précipite de nouveau en direction des corbeilles de la maison. Mais elles sont TOUTES vides !!!

Paniqué, il tourne en
rond, se tire les cheveux
et est à deux doigts de
se mettre à hurler, quand
se mère repasse près
de lui et lui lance:

— Je suis allée porter
les ordures au chemin ce
matin, mon mini-chou...
D'ailleurs, n'est-ce pas
le camion de vidanges que
j'entends, dans la rue?

—OH **Nooooon!**

crie Yohan, en sortant
en vitesse à l'extérieur.

Et devant lui, le pire
vient de se dérouler.
Le camion a déjà ramassé
les poubelles et est
présentement rendu
chez le voisin. Sa dernière
chance d'appeler sa fée
marraine vient de lui
glisser entre les doigts.

Démoralisé, le garçon
retourne dans la maison,
monte à sa chambre,
se fraie un chemin
dans le désordre, tasse
les jouets qui prennent
beaucoup trop de place
sur son lit et se couche
sur celui-ci.

En observant le plafond
durant quelques minutes,
Yohan serre les poings.
Il n'a jamais été du genre

à abandonner au premier obstacle. Ni au deuxième. Encore moins au troisième!

Alors, advienne que pourra, il va tenter d'appeler Luigi en se remémorant la marche à suivre **SANS** son mouchoir.

Plus déterminé que jamais, il se redresse. Par quoi devait-il débuter?

Ah oui! Se pincer
le bout du nez! Il s'exécute
rapidement.

—Ensuite, il fallait que
je répète un mot trois fois,
il me semble… Zipopo?
Ligogo? Voyons, qu'est-ce
que c'était? Essayons
avec «mon pogo».

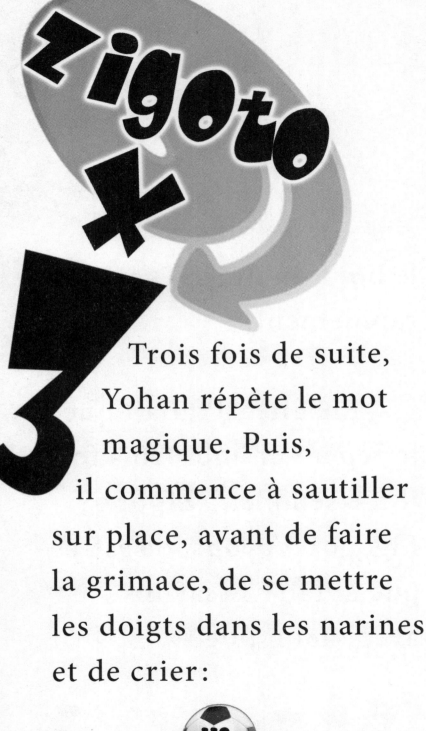

Trois fois de suite,
Yohan répète le mot
magique. Puis,
il commence à sautiller
sur place, avant de faire
la grimace, de se mettre
les doigts dans les narines
et de crier :

—Luigi, ramène tes fesses ici !

Aussitôt, un **POUF** retentit tout près de lui.

—Holà, pétite homme ! Yé vois qué tou n'as pas réténou la marche à souivre correctement...

—Ce n'est pas ma faute,
j'ai perdu le mouchoir où
je l'avais notée! Mais…
tu es venu quand même?

—Évidémmenté! Yé
n'étais pas pour té laisser
poireauter pendant
des heures!

—Es-tu en train de
me dire que ça ne sert
à rien de faire toutes
ces simagrées? demande
Yohan en fronçant
les sourcils.

—Eh bien… Puisqué
tou en parles, disons qué
y'aime bien l'idée d'oune
code pour mé faire vénir.
Mais yé serais vénou
quand même…

Yohan pose les mains sur ses hanches, de mauvaise humeur, et laisse éclater sa colère.

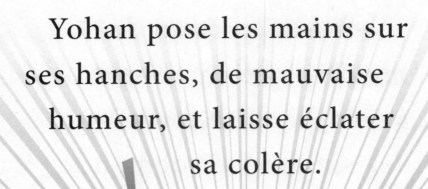

— Tu m'as fait courir partout dans la maison pour rien! Ce n'est pas correct du tout! J'attends tes excuses!

—Tou sauras, pétite homme, qu'oune fée né s'excouse **YAMAIS!**

—**Yamais?**

—**Yamais!** Le contraire de **touyours**, tu vois...

—**Touyours?**

—Bon, tou as fini dé rire dé mon accent?!?

—Désolé, c'est que ce n'est pas toujours facile de te comprendre, tu sais. D'accord, on va laisser faire les excuses, mais je veux un vœu gratuit, alors!

—Tou né comprends pas, yé n'accorde pas dé vœu. Yé souis yuste ta fée marraine.

—Alors à quoi
tu sers?

Luigi réfléchit
une seconde, se frotte
le menton, fronce
les sourcils, fait la grimace
et se fouille même dans
les narines une fois
ou deux.

Ça semble être son
mode opératoire, lorsqu'il
réfléchit, remarque Yohan.

Puis, l'homme-fée lève sa baguette dans les airs, l'agite à toute vitesse et marmonne des paroles incompréhensibles ressemblant à ceci:

«Abracadabri, abracadabra,

yé souis la meilleure fée qui soit... et y'aimerais fermer lé clapet à cé yeune blanc-bec!»

126

Un nuage de fumée entoure Luigi durant une fraction de seconde, avant de s'évaporer. Debout devant Yohan se tient désormais un petit garçon potelé, joufflu, toujours moustachu et (encore plus saugrenu) portant une salopette rose qui lui va comme un gant !

127

—

murmure Yohan,
la bouche grande ouverte.

— Voilà à quoi yé sers,
lance Luigi. Yé souis là
pour té guider, t'aider
et, évidémmenté, être
ton amigo !

chapitre 5

Un amigo qui ne ressemble à aucun autre !

131

Luigi attrape
la mâchoire de Yohan
avant que celle-ci ne
tombe durement sur
le plancher. Il lui referme
gentiment la bouche
et s'exclame :

— Pas bésoin dé faire
cette tête, pétite homme.
Yé souis très doué pour
les déguisements.

—En effet, marmonne le jeune garçon.

Mais... yé n'ai quand même pas toute la yournée...

—La yournée? répète Yohan.

Tou as fini dé rire dé moi?!

—Désolé, c'est juste que...

134

— **Suffit !** Yé récommence. Pourquoi tou m'as fait vénir ?

Yohan pointe le livre des records Réglisse, toujours ouvert sur le lit, et lui parle de son idée d'organiser la plus grande compétition jamais vue dans leur ville.

Avec des épreuves qui sortiraient de l'ordinaire.

Des défis qui pourraient
s'insérer dans ce fameux
livre… Et qui permettraient
de rendre à son école
ses lettres de noblesse.

Aussi de faire oublier cet
affreux surnom des…

Un large sourire éclaire
le visage de Luigi, qui
sautille sur place.

— Youpi ! Yé savais qué
tou voudrais embarquer
dans cé proyet un peu fou !

L'homme-fée est si
excité qu'il fait quelques
pirouettes supplémentaires,
s'accroche dans ses
propres pieds et tombe
sur le ventre.

Un énorme **crac !** accompagne sa chute pour le moins douloureuse...

— Qu'est-ce que c'était que ce bruit ? s'inquiète aussitôt Yohan, en poussant Luigi pour voir ce qu'il a bien pu écraser.

Il le bouscule et celui-ci roule comme une roche qui n'amasse pas mousse.

Et juste là, brisée en deux morceaux, se trouve la baguette de Luigi…
Le petit homme pousse alors un hurlement à briser les tympans de tous ceux qui se trouvent à moins d'un kilomètre de distance !

— AAAAAAAAAAAAHHHHHAAAAAAHHHHH!

MA BAGUETTE!!! Sans elle, yé né peux plous mé transformer en fée! Yé suis coincé dans cet accoutrément dé pétit garçon... **POUR TOUJOURS!!!**

Luigi se met à courir dans tous les sens, en se tenant la tête à deux mains, sans s'arrêter de crier. La mère de Yohan fait aussitôt irruption dans sa chambre, l'air sévère.

— On peut savoir pourquoi il y a un tel raffut, par ici? demande-t-elle aux deux enfants.

Luigi stoppe aussi net et tombe en transe, en dévisageant la nouvelle arrivée.

—Oh, je vois que tu as un ami avec toi, reprend la mère du jeune garçon. Mais tous les deux, pourriez-vous faire moins de bruit? Ça dérange tout le quartier...

—Bien sûr, maman, on va baisser le ton, promet Yohan, en faisant de gros yeux à sa fée, qui ne le remarque même pas.

Luigi ne le peut pas, en fait, car il est obnubilé par une seule et même chose… Le voilà qui s'avance, se met à genoux et s'exclame :

— Votré beauté n'a d'égale qué votré intelliyence, mademoiselle… Comment vous appelez-vous, ma chère dame?

Et il termine sa tirade enflammée en lui empoignant la main, qu'il porte à ses lèvres avec douceur. Yohan, lui, passe à deux doigts de s'évanouir… **DE HONTE!**

—Euh… je m'appelle Josée.

—Yosée… quel yoli nom…, souffle l'homme-fée.

—Non, Josée, le reprend cette dernière.

— C'est cé qué yé dis :
Yosée...

— Bon, intervient Yohan,
en voyant que sa mère
s'apprête à argumenter.
Maintenant que les
présentations sont faites,
maman, est-ce que tu peux
nous laisser seuls ?
On a des choses
importantes à régler...

Sa mère se retient de sourire face à l'allure que se donne son fils. «Des choses importantes» à huit ans… il ne faudrait pas charrier non plus!

Mais elle les salue et leur intime une dernière fois de ne pas trop faire de bruit, avant de s'éclipser. Ce qu'elle ignore, c'est que Luigi et Yohan ont effectivement

147

un dossier très chaud sur
le feu. Ils doivent préparer
des compétitions…
(Et aussi, chercher
comment réparer
la baguette magique,
mais ça, ça risque d'être
plutôt compliqué!)

Le garçon et sa fée
s'assoient directement
par terre (seul endroit
pas trop encombré de la
chambre) et lisent la règle

numéro un pour participer
au livre des records
Réglisse.

1 Inscrire le nom de ton école au Grand Concours des Records Réglisse.

—OK, alors j'inscris
l'École des Oiseaux…, dit
Yohan en tirant la langue
pendant qu'il s'exécute.

149

— Mais non ! l'en empêche Luigi. Tou dois écrire lé sournom qué les autres écoles vous ont donné...

L'ÉCOLE DES ZOZOS!!!

— Tu es certain ? D'accord, alors allons-y pour l'École des Zozos. Ensuite, quelle est la règle numéro deux ?

La fée s'empresse de
la lui lire.

Choisir CINQ épreuves dans lesquelles vous devrez tenter de remporter le premier prix.

2

Les deux amis se
regardent une fraction de
seconde, avant de plonger
le nez dans le livre.

151

Ils tournent et retournent les pages, épluchant toutes les épreuves. Pesant le pour et le contre de chacune d'entre elles. Au bout d'une longue heure, ils ont enfin arrêté leur choix et noté sur un bout de papier cinq défis absolument incroyables!

Yohan est si excité à la perspective de les relever

qu'il doit prendre une grande inspiration pour se calmer et lire la troisième règle.

Choisir quatre écoles contre qui vous pourrez concourir.

Ça, c'est facile. Évidemment, Yohan se dépêche de noter l'école contre qui ils ont perdu

153

les olympiades ce week-
end, mais aussi les trois
autres écoles primaires
de la ville.

ÉCOLE DES MATELOTS

(Où l'on retrouve
carrément l'élite sportive.)

ÉCOLE DES CHÂTEAUX

(Où les élèves sont si riches qu'ils se prennent pour des rois et des reines!)

ÉCOLE DES GÂTEAUX

(Où, comme on pourrait s'en douter, les jeunes ont un léger surplus de poids, ce qui ne les empêche pas d'être de grands athlètes...)

ÉCOLE DU CHAOS

(Où vont les élèves
qui ont les pires troubles
de comportement…
Cette école-là, même
Mathéo en a peur !)

Une fois cette étape achevée, Luigi se penche sur le livre pour lire la règle numéro quatre.

Le faire en vous amusant... (Cette règle est sans contredit la plus importante!)

4

— Yé sens qué cé séra souuuuper facile dé réspecter ça! Pas toi?

—Je ne sais pas…
Avec les élèves de l'École
du Chaos, on ne peut
jamais savoir comment
une compétition va se
terminer. Mais chose
certaine, on va faire notre
possible ! **OK**, passons
au numéro cinq…

La dernière règle n'est dévoilée qu'à la fin de ce livre. Elle ne doit être lue qu'une fois les épreuves terminées.

5

— Allons la lire tout dé souite! s'exclame Luigi, qui ne peut patienter jusqu'à la fin des olympiades pour savoir de quoi il est question.

Heureusement que Yohan est beaucoup moins curieux! Il retient l'homme-fée de justesse.

—**NON!** Surtout pas, sinon on est disqualifiés!

—D'accord, tou as raison. Il est important dé souivre lé règlement... Dans cé cas, yé crois qué nous avons terminé. Il né té resté plous qu'à l'annoncer à tes amis!

—Oui... la partie la plus
difficile commence,
ronchonne Yohan,
en baissant les épaules.

Car le garçon doute
que Mathéo et les autres
sautent à pieds joints
dans ce projet un peu fou.
Après tout, il n'a jamais
été très populaire à l'école
et, avec la déconfiture
qu'ils viennent d'encaisser
et les textos qui ont été

envoyés ce matin,
ses camarades de classe
semblaient plutôt
défaitistes…

Comment arrivera-t-il à les convaincre de participer?

Sans le vouloir, son
regard s'attarde sur Luigi,
assis à côté de lui,
qui sourit à pleines dents.

Qui ne se pose pas
de questions et qui est
certain de leur réussite.
Peut-être que la solution
est là, après tout ?

Simplement foncer,
et ne pas avoir peur
de se tromper !

chapitre 6

Recueillir l'accord des autres joueurs est loin d'être une partie de plaisir...

 AMAIS DE
LA VIE! refuse tout net
Mathéo, en croisant
les bras sur sa poitrine.

—En plus, il va falloir
rejouer contre l'École
des Matelots, et ils vont
encore nous laver! ajoute
Matilda, sans même
balancer ses fesses.

—Chose certaine, moi, je ne me ferai plus jamais humilier de la sorte! conclut Bastien, en échappant ses lunettes qu'il tentait de nettoyer et en marchant dessus alors qu'il les cherche à tâtons.

Yohan lève les mains pour calmer tout ce petit monde. L'équipe au grand complet est rassemblée devant lui et rien ne

permet de croire que
les jeunes se laisseront
convaincre. Sans compter
que son idée est un peu
folle… Mais Yohan a
un atout dans sa manche.
Un atout qu'il garde pour
la toute dernière minute.

— Mais, Bastien, tu n'as
pas le goût de leur prouver
que même un myope peut
remporter la victoire?

Celui-ci relève la tête,
le regard un peu flou,
et hausse les épaules.

— Toi, Matilda,
tu n'aimerais pas leur
montrer toute l'étendue
de tes talents ?

La jeune fille fait
la moue en songeant que,
si une épreuve pouvait
contenir un peu de danse,
elle serait la première
heureuse…

—Mathéo! Je ne peux pas croire que tu ne désires pas leur rendre la monnaie de leur pièce!

Le capitaine de l'équipe fronce les sourcils, en se demandant ce que cette expression peut bien vouloir dire. Mais ça, pas question de l'avouer à qui que ce soit !

—Et vous tous, lance Yohan, en pointant chacun des joueurs, il serait temps que vous laissiez savoir à tout le monde que vous vous fichez du surnom

qu'on nous a donné !
On pourrait même
l'adopter pour de bon :

Qu'est-ce que vous en
dites ???

Ça murmure entre les
coéquipiers. Certains sont

173

d'accord, mais une large majorité continue de croire que cette étrange compétition que veut organiser Yohan ne sera qu'une occasion de plus pour les autres écoles de les ridiculiser. Et ça, il n'en est pas question !

Voyant que son petit discours n'a servi à rien, Yohan décide d'utiliser sa dernière arme. Il passe

donc la main sous son chandail, où il a caché...

LE LIVRE DES RECORDS RÉGLISSE !

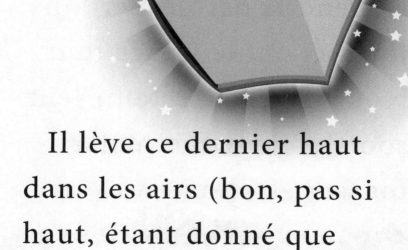

Il lève ce dernier haut dans les airs (bon, pas si haut, étant donné que le garçon est vraiment

minuscule…) et marche lentement devant ses camarades, qui ouvrent la bouche, écarquillent les yeux, se figent et en oublient même de respirer. Lorsque Yohan reprend la parole, certains joueurs ont le visage tout bleu à force de retenir leur souffle. Ils se mettent à tousser en chœur!

— Ceci est le livre des records Réglisse. Ce manuel contient des épreuves que peu d'entre vous connaissent. Des compétitions que seuls les **VRAIS** sportifs peuvent réussir. En accomplissant ces exploits, nous pourrons enfin dévoiler à **TOUS** que nous méritons de figurer dans ce livre en tant qu'athlètes accomplis…

177

Certains parmi vous
sont-ils prêts à se joindre
à moi? À essayer d'arriver
les premiers? À battre
les autres écoles? À écrire
leur nom dans le livre
des records Réglisse?!?
Moi, je le suis… et vous?

Le silence s'installe
parmi les joueurs.
Ils se regardent les uns
les autres. Ils hésitent.
L'un d'eux avance alors

vers Yohan et hoche la tête. Un second lui emboîte le pas. Puis un autre… et encore un autre! Bientôt, **TOUS** les membres de l'équipe acquiescent avec vigueur.

Seul Mathéo, resté derrière, n'a pas donné sa réponse. Mais en voyant l'enthousiasme de ses coéquipiers, il se sent transporté par leur allégresse.

Alors, en signe
victorieux, il pointe
le ciel, ferme le poing
et s'écrie :

— L'ÉCOLE DES OISEAUX,

surnommés les ZOZOS,
remportera la victoire !
Tu peux compter sur nous !!

Tous les jeunes se mettent à hurler de joie. Yohan trépigne sur place. Ce n'est qu'à ce moment que Bastien récupère enfin ses lunettes, brisées en deux, et les pose maladroitement sur son nez. Puis, il demande :

— C'est qui le petit grassouillet qui porte cette affreuse salopette rose et qui sautille à côté de toi ?

— Qui tou as traité dé
grassouillet??? riposte
Luigi avec vigueur,
en cessant immédiatement
de sauter.

Bastien s'apprête à répondre, mais Yohan s'interpose entre les deux, pour expliquer :

— C'est… c'est le… c'est mon cousin Luigi. Il ne peut pas participer parce qu'il n'est pas de notre école, mais c'est lui qui fera l'arbitre et qui comptera les points.

—En tout cas… il est bizarre, ton cousin, marmonne Bastien en se renfrognant.

—C'est toi qui es bizarre…, grogne l'homme-fée, avant d'ajouter à voix basse: «Si y avais encore ma baguette, tou passerais à la cassérole, amigo!»

Yohan lui fait de gros yeux, mais Luigi continue son monologue en leur tournant le dos. Mathéo prend alors la parole, ce qui coupe court à toute dispute.

— D'accord, maintenant que tu as notre réponse, qu'est-ce qu'on doit faire ? As-tu besoin d'aide pour l'organisation de cette compétition ?

—Eh bien, puisque tu le proposes, en effet, votre aide ne serait pas de refus. Il faut aller inviter les quatre autres écoles, soit les Matelots, les Châteaux, les Gâteaux et le Chaos.

—Attends! On va même inviter l'École du Chaos? Mais tu es complètement zinzin! Ils sont fous, à cette école! Ça va virer à l'émeute en trois secondes!

—Mais non. Je suis certain qu'ils vont participer sans tricher et sans se battre, rétorque Yohan, en secouant la tête. Au pire, s'ils ne suivent pas les règles, on les disqualifiera.

Mathéo, en bon capitaine d'équipe, choisit alors Matilda pour aller voir l'École des Châteaux, Nathan pour l'École des Gâteaux, Yohan pour l'École des Matelots et lui-même pour celle du Chaos. Ensuite, ils fixent la date de la compétition : elle aura lieu dans une semaine, jour pour jour.

Aussi, il est décidé
que Simon ira voir leur
directeur, pour leur parler
de leur projet. Puisque les
compétitions se tiendront
sur le terrain de l'école,
il est important que
ce dernier donne son
consentement. Pas
question que les voisins,
les personnes âgées
habitant à la Résidence

de la Dernière Heure, appellent la police si les jeunes font trop de bruit le samedi matin.

À moins que… Yohan a encore une idée de génie! Il fait un clin d'œil à Luigi, avant d'exposer celle-ci à tout le groupe. Chacun rigole de sa proposition, mais acquiesce rapidement.

La première épreuve
est donc choisie… ainsi
que les participants !
Il ne reste qu'à désigner
quelqu'un pour
confectionner le logo
de leur école, que l'on
apposera sur chacun
des chandails de l'équipe.
C'est sur Bastien que
retombe cette tâche.
Il accepte sans hésiter,
fier du mandat qui lui
est confié.

Maintenant que tout a été planifié, il ne reste plus qu'à passer à l'action !

chapitre 7

QUE LES ZOZOLYMPIQUES COMMENCENT!!!

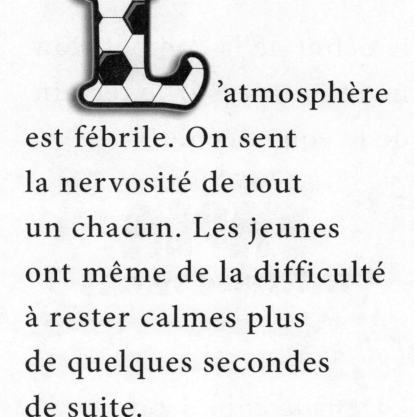’atmosphère
est fébrile. On sent
la nervosité de tout
un chacun. Les jeunes
ont même de la difficulté
à rester calmes plus
de quelques secondes
de suite.

Ça saute un peu partout.
Ça crie. Ça se chamaille
dans un coin, avant que
la trompette annonçant

le début de la compétition ne retentisse sur le terrain de la cour d'école.

Enfin, le silence se fait...

Dans le coin droit, l'École des Matelots regarde ses adversaires avec la ferme intention de remporter **TOUTES** les victoires possibles.

Seuls les meilleurs joueurs ont été autorisés à faire partie de leur équipe d'athlètes. Les enfants sont grands, musclés et ont un visage sérieux, concentré.

Les garçons portent les cheveux très court, tandis que les filles ont attaché les leurs en une queue de cheval impeccable.

Leur entraîneur a
les bras si musclés qu'il
serait capable de tirer un
autobus d'une seule main !
Bref, cette école est
sûrement la plus prête
à affronter les autres...

Dans le coin gauche, on
retrouve l'École du Chaos.
Leurs joueurs se tiennent
en retrait. Personne n'ose
s'approcher d'eux à moins
de plusieurs mètres !

C'est qu'ils font peur,
avec leurs cheveux
dressés haut dans les airs,
leurs chandails troués et
les colliers à chien qu'ils
portent tous
autour du cou !

école du chaos

Les jeunes mâchent de la
gomme et font de grosses
balounes, qu'ils écrasent
avec leurs doigts sales,
tout en souriant
méchamment.

Leur entraîneur est
assis au milieu du groupe
et donne des conseils à
chacun sur la façon
d'assener des coups
bas aux autres équipes.

Visiblement, ces
participants ne sont
pas là pour remporter
les honneurs, mais
carrément pour **DÉTRUIRE**
leurs adversaires!

En plein centre du terrain, les élèves de l'École des Gâteaux grignotent une solide collation.

Un barbecue a même été installé à l'arrière du terrain, où leur capitaine fait rôtir des hot-dogs et des hamburgers. Il y a aussi une machine à barbe à papa, du popcorn qui éclate dans une marmite

et des crêpes qui cuisent
dans une poêle géante.
Ça sent bon, dans leurs
rangs ! Tellement, en fait,
que les élèves des autres
écoles se lèchent les
babines et ont le ventre
qui gargouille...

Tout près des Gâteaux,
l'École des Châteaux a
levé son chapiteau. Sans
jeux de mots ! Munis de

leurs lunettes de soleil
en or ou en argent,
les membres féminins
de l'équipe se refont
une manucure, tandis que
les garçons comparent
leur équipement et
leurs vêtements.

Les souliers des uns
brillent comme un sou
neuf, ceux des autres sont
aérodynamiques. Bref,
ils sont tous convaincus

d'avoir **LA** bonne paire
de chaussures qui leur
assurera la victoire…
Ce qui semble aussi être
l'avis de leur entraîneur,
qui passe entre ses joueurs
pour bien cirer leurs
chaussures. Il a plutôt l'air
d'un majordome, celui-là !

Enfin, entre l'École
du Chaos et celle des
Gâteaux, il ne reste que…

L'école de Yohan, quoi! Mathéo se tient le dos droit, les bras croisés.

À ses côtés, Matilda danse au rythme de sa musique imaginaire, Bastien essuie ses lunettes pour la centième fois et Nathan se ronge les ongles d'inquiétude.

Jean-Noah Lesgrosbras, leur entraîneur, se promène d'un joueur à l'autre, pour s'assurer que chacun demeure concentré. Ont-ils bien fait d'écouter leur camarade et d'organiser cette étrange compétition? C'est ce qu'ils s'apprêtent à découvrir...

Yohan monte sur scène.
Puisqu'il est l'organisateur
des jeux, il a été décidé
qu'il ferait le discours
inaugural. Mais lorsque
le jeune garçon s'avance
jusqu'au micro, ça
murmure un peu partout
autour de lui. C'est que ce
micro est beaucoup trop
haut pour lui !

Yohan saute dans
les airs, lève les bras et
s'étire le cou, mais rien
n'y fait.

En ronchonnant,
il cherche du regard
un petit banc sur lequel
il pourrait se jucher.
Les chuchotements de
la foule s'accentuent.
Il est vraiment temps que
le garçon commence son
discours, mais il ne trouve

rien pour l'aider. Jusqu'à ce que Luigi décide de s'en mêler.

Toujours déguisé en enfant, à cause de sa baguette magique brisée, l'homme-fée se penche, pose les mains sur le sol et se met à quatre pattes. Il fait ensuite signe à Yohan de lui grimper sur le dos et d'utiliser celui-ci comme estrade. Sans plus

d'hésitation, notre jeune
ami accepte et s'installe
sur Luigi.

Le garçon fait désormais
face à une foule qui rigole
et qui ne semble pas prête
à le prendre au sérieux.
Advienne que pourra,
Yohan n'a pas le choix.
Il ouvre donc la bouche,
se racle la gorge, avale
difficilement sa salive
et se lance.

—Bonjour à tous!
Et surtout, bienvenue à
la première compétition
extraordinaire de notre
ville! Nous sommes très
heureux de vous compter
parmi nous et de voir que
chacune des écoles a
accepté de se présenter
pour relever les divers
défis que nous vous avons
préparés. Mais avant de
débuter, il me faut vous
lire la liste des règles,

continue Yohan, alors
que la foule gronde en
entendant ce dernier mot.

C'est que, durant la fin
de semaine, **AUCUN** élève
n'a le goût de se plier à
un règlement ! C'est bien
connu ! Prenant son
courage à deux mains,
Yohan s'apprête à
reprendre son discours
lorsqu'il évite de justesse
une tomate lancée du fond

213

de la cour. Faisant fi
de l'incident, il poursuit.

— Donc, comme je le
disais, je dois vous lire
cette liste de cinq règles.
Si certains ne suivent pas à
la lettre ce qui y est écrit,
ils seront disqualifiés.
C'est pourquoi je…

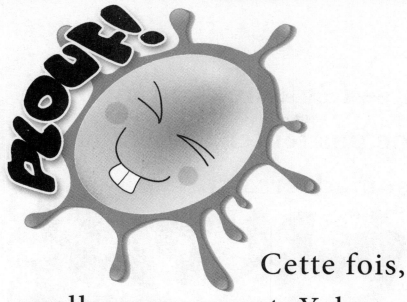

Cette fois, malheureusement, Yohan n'a pas pu éviter l'œuf qui a frappé son front de plein fouet et qui lui dégouline maintenant sur le nez. Toujours accroupi, Luigi lui tend un mouchoir, et le jeune garçon continue avec courage.

—Règle numéro un :
ne pas tenter de blesser
son adversaire.

PIF! PAF!

Une pluie de poires
vient s'abattre sur la tête
du pauvre Yohan, qui doit
élever la voix pour se faire
entendre.

—Règle numéro deux :
aucune tricherie ne sera
acceptée.

PATAKLANG!

Des balles de tennis
volent autour du garçon
et frappent la scène.
Mais toujours, Yohan
se tient debout devant
la foule en délire.

—Règle numéro trois:
il ne faut jamais insulter le
joueur de l'équipe adverse.

POUISH!

De la crème fouettée s'étale sur le corps de Luigi, qui n'a pas pu se tasser à temps. Yohan glisse sur le dos de l'homme-fée, mais garde solidement le pied du micro entre les mains, ce qui lui évite une chute douloureuse.

—Règle numéro quatre: on doit absolument utiliser les accessoires

fournis en début
d'épreuve, et non ceux
que nous aurions apportés
de chez nous.

KAPOW!
Des pétards
éclatent dans les airs,
au fur et à mesure qu'ils
sont lancés en direction
de la scène. Yohan et Luigi
sautillent sur place pour
les éviter, ce qui est loin
d'être évident.

Lorsque la foule se calme enfin, le jeune garçon ne prend même plus la peine de grimper sur Luigi qui, de toute façon, se cache derrière l'enfant. Il empoigne donc le micro, le baisse vers son visage et s'écrie :

—Cinquième et dernière règle : il est très très important de participer à chacune des épreuves... avec le sourire !

Dès qu'il a terminé sa phrase, Yohan ferme les yeux et se recroqueville sur lui-même, s'attendant à recevoir à tout moment un nouveau projectile. Mais la fin de sa tirade est plutôt accueillie par une ovation du tonnerre. Les jeunes présents dans la cour se mettent à rire et à applaudir. Cette règle-là, ils peuvent très bien la respecter !

Alors, dans un concert
de cris joyeux, il lance à
la foule :

Que les
Zozolympiques
commencent!!!

222

chapitre 8

Des défis beaucoup plus difficiles que prévu...

C'est la cohue sur le terrain de l'école. Les élèves courent dans tous les sens, excités de participer à la première épreuve.

Une énorme cloche résonne dans les haut-parleurs et réussit à mettre un terme à tout ce raffut. Yohan se fraie un chemin dans la foule et explique de quoi il sera question pour ce premier défi.

— Tout d'abord, chaque école doit se choisir un participant. Et pour réussir, je vous le dis tout de suite, il va vous falloir quelqu'un qui n'est pas dédaigneux! Et qui n'a pas la langue dans sa poche... J'inviterais les joueurs à enfiler leur chandail

respectif avec le logo de leur école. N'oubliez pas d'y accrocher cette épinglette, grâce à laquelle vous pourrez communiquer avec vos coéquipiers.

Elle fonctionne de la même manière qu'un cellulaire mains libres.

Pendant que les jeunes de chaque équipe enfilent vêtements et épingles, Yohan cherche Luigi des yeux, mais ne le voit pas dans les alentours. Pourtant, il aurait bien besoin de lui en ce moment, car, selon ce qu'il a annoncé, Luigi sera l'arbitre durant la journée.

Son regard tombe alors sur un drôle de personnage, habillé en lapin et tenant une affiche **STOP** à la main.

En y prêtant plus attention, Yohan se rend compte… qu'il s'agit de l'homme-fée! Vite, pendant que les joueurs sont encore occupés, il court dans sa direction pour savoir ce que signifie cet accoutrement.

—Pourquoi tu es déguisé en lapin? Tu as vraiment l'air idiot, tu sais!

— Yé n'ai pas l'air idiot dou tout ! Cé parcé qué y'ai réoussi à trouver oune autré baguette mayique, régarde ! explique-t-il en pointant son affiche.

— Ce n'est pas une baguette, ça, Luigi, c'est une pancarte de stop ! Où l'as-tu prise ?

—Elle était dans lé cabanon dé la cour dé l'école. Hum… Mainténant, yé comprends pourquoi yé mé souis transformé en lapin zinzin !

—Bon, on trouvera une solution plus tard. En attendant, c'est toujours toi qui fais l'arbitre ?

— Moi, oune arbitre ?
Cé sérait oune grand
honneur pour moi…

— Super ! Suis-moi,
je dois encore donner
quelques instructions
pour ce premier défi.

Ils se dépêchent de
rejoindre les participants
de l'épreuve et ce n'est qu'à
ce moment que Yohan
aperçoit le chandail que

porte Matilda, la joueuse de leur équipe désignée pour la compétition numéro un. Il écarquille les yeux, fronce les sourcils, secoue la tête et finit par soupirer un grand coup. Puis, il penche lentement la tête sur son propre chandail, qu'il n'a pas pris la peine de bien regarder en l'enfilant. Il constate avec découragement qu'il est orné du même motif.

Il pèse alors sur
son épinglette afin
de communiquer avec
le coupable de cette
incroyable, extravagante,
abracadabrante, bref, juste
troooop **BIG** erreur...

235

Yohan

BASTIEN!!! Je peux savoir POURQUOI j'ai un pogo sur mon chandail???

Bastien

Ben... c'est ce que vous m'aviez demandé de mettre,

non?

PERSONNE ne t'a demandé de mettre un **POGO** sur les chandails de l'équipe, triple andouille! C'est un **LOGO** qu'on voulait! Pas un **POGO**!

Euh... c'est quoi, un logo?

C'est un symbole qui aurait représenté notre école! L'École des ZOZOS!! Mais là, on va être représentés par un POGO!!!

Yohan

Ah... C'est que... je n'avais peut-être pas bien compris, finalement... Bon, je vais essayer d'arranger ça avant la fin de la journée, d'accord ?

Bastien

Tu as jusqu'au dîner pour que tout soit réglé ! Je te laisse, l'épreuve va débuter.

Yohan

Ce n'est pas le temps de s'appesantir plus longtemps sur la gaffe de Bastien. Yohan doit donner le signal du départ. Mais juste avant, il lui reste encore à expliquer ce que les participants devront faire...

Ceux-ci présentent déjà des signes d'impatience. Et d'incertitude. Car tout près d'eux se tient un groupe d'individus à l'allure louche et au style vieillot. En fait, il s'agit simplement des voisins de l'école, les personnes âgées habitant la Résidence de la Dernière Heure. Et ils ne sont pas là pour rien…

Non, s'ils ont été invités, c'est qu'ils font partie de l'épreuve! En effet, Yohan se fait un plaisir

d'expliquer à chaque
joueur que son défi
consistera à...

**EMBRASSER UN
NOMBRE RECORD DE
GRANDS-MÈRES ET DE
GRANDS-PÈRES !**

Cela, dans un laps
de temps de moins
de dix minutes.

Les grands-parents
avalent un dernier bonbon
à la menthe et tendent
la joue, pendant que
les jeunes qui devront
leur donner un bec font
la grimace. Seule Matilda,
qui a toujours adoré
passer ses soirées avec
sa grand-mère, avance
déjà vers le groupe
la bouche tendue.

En un rien de temps, elle fait la bise à un maximum de personnes âgées. Derrière elle, les quatre autres participants à l'épreuve ne se sont toujours pas décidés à embrasser qui que ce soit. Ils hésitent, mais finissent par avancer. L'un d'eux se résigne à coller un bec sec à un grand-papa à l'allure pourtant joviale.

Les secondes défilent,
puis les minutes.

Les adversaires
de Matilda prennent
un peu d'assurance.
Une jeune fille de l'École
des Gâteaux, attirée par
l'odeur de menthe qui
se dégage de certaines
grands-mères, parvient à
en embrasser une bonne
dizaine, lorsque la cloche
annonçant la fin
du défi sonne.

On fait le décompte. Luigi, recyclé en arbitre un peu zinzin, comptabilise le nombre de becs. Sans surprise, Matilda remporte l'épreuve! L'École des Zozos a amassé un total de cent vingt-neuf bisous sur les joues ridées des personnes âgées! Yohan est le premier à sauter de joie. Il ne reste que quatre autres défis à relever.

Si tout va aussi bien, son école pourrait gagner la compétition ! Et inscrire son nom dans le livre des records Réglisse !

Matilda est applaudie de toutes parts.

Le participant de l'École des Matelots, lui, est sévèrement critiqué par son équipe. L'équipe de l'École des Gâteaux est

félicitée pour ses dix becs.
Le joueur de l'École
des Châteaux est ignoré
des siens, tandis que celui
de l'École du Chaos a
peur d'aller rejoindre
son équipe, qui l'attend
de pied ferme...

Une pause de trente
minutes est accordée à
tous les participants, le
temps que les entraîneurs
rajustent leur plan de

match. Yohan rejoint les siens et est accueilli à bras ouverts.

— Matilda a vraiment travaillé comme une championne! Elle mériterait une médaille! propose Nathan, qui ne se serait **JAMAIS** vu obligé d'embrasser autant de vieilles personnes.

— Allez, ce n'était rien. Leurs joues me faisaient penser à du crémage à gâteau. Et ils sentaient tous la pastille de menthe, se défend Matilda, sans fausse pudeur.

— N'empêche, tu nous as fait gagner! riposte Mathéo, avant de mentionner que le prochain joueur à participer sera nul autre que lui-même.

Il se sent d'attaque
pour le défi qui va suivre.
Se tournant vers Yohan,
il lui demande des détails.

—Désolé, je ne peux
rien dire, lui mentionne
le jeune garçon en
secouant la tête.

—Allez, personne ne
saurait que tu nous en as
parlé, lui dit Jean-Noah
Lesgrosbras, en chuchotant.

— Ah non, ce serait tricher et on serait automatiquement disqualifiés. Déjà que je ne peux pas être arbitre, il est hors de question que je vous donne des informations en primeur. Vous devrez attendre le début de l'épreuve.

— **PFFF!** Tu es beaucoup trop à cheval sur les règlements, Yohan

Lenain, se fâche
l'entraîneur, en levant
le ton.

Heureusement,
Bastien arrive à ce
moment en courant,
avec des nouveaux logos
à mettre sur leur chandail
pour remplacer les affreux
pogos. Cette fois, il s'agit
de petits oiseaux,
symbolisant leur école.
Chaque joueur remplace

son logo. Jean-Noah
Lesgrosbras lance
un dernier regard de
frustration à Yohan,
qui préfère s'éloigner,
déçu du comportement
de ce dernier.

Il ne reste que
quelques minutes avant
la prochaine compétition.
Yohan fait signe à Luigi,
qui a abandonné son
affiche **STOP** pour partir

à la recherche d'une nouvelle baguette magique. Comme ils sont trop loin l'un de l'autre, le jeune garçon décide de communiquer avec l'homme-fée grâce à son épinglette.

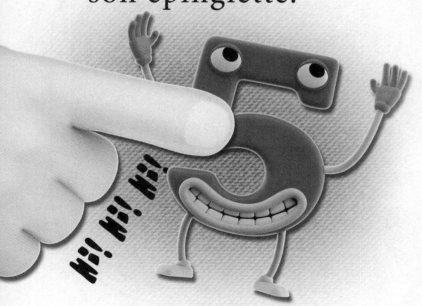

 **Yohan** Dis-moi, Luigi, qu'est-ce qu'on fait, quand on soupçonne quelqu'un de tricher ?

 **Luigi** Tou lé sais aussi bien qué moi ! C'était écrit dans les règlements. Les tricheurs séront disqualifiés. C'est oune youeur dé quelle école ?

Yohan hésite, mais
décide de dire la vérité.

De notre propre
école...

Oh là là...
Yé comprends
ton désarroi. Tou es soûr
qu'il a triché ?

Yohan  Non, non, c'est juste que j'ai peur qu'il le fasse...

Dans cé cas, sourveille-lé dé près. Au moindre signe, tou dois lé dénoncer. Tou n'a pas lé choix. C'est antisportif et tou lé sais. **Luigi**

Yohan

OK, c'est bon. C'est ce que je ferai. On se rejoint à la prochaine épreuve. Celle-ci va débuter dans… ELLE DÉBUTE TOUT DE SUITE! VITE!!!

Sans plus attendre,
le jeune garçon se
précipite vers le lieu
de la deuxième
compétition.

chapitre 9

**Du tennis
très très salissant...
surtout pour
le concierge !**

261

Deux adversaires se font face sur le terrain. Entre eux, un mince filet les sépare. Sur un banc, Luigi l'homme-fée, toujours déguisé en lapin, surveille le jeu d'un œil averti. Yohan, pour sa part, est planté en plein centre afin de donner les dernières consignes. Sa tête dépasse à peine

263

du filet, alors il s'est apporté un petit escabeau sur lequel il vient de grimper.

— Rebonjour, tout le monde! Je vois que vous êtes tous prêts pour cette deuxième épreuve. Cette fois, les quatre écoles s'affronteront à tour de rôle. Le gagnant du défi des bisous sera le premier à se présenter sur le terrain.

Ça murmure dans la foule, visiblement de mauvaise humeur. Certains ne sont pas contents de savoir qu'ils passeront en dernier... Car la compétition s'annonce particulièrement salissante !

— Comme vous pouvez le constater, l'équipement permis est constitué d'une

265

raquette de tennis et d'une douzaine d'œufs. Le but du jeu est de renvoyer la balle, ou plutôt l'œuf, de l'autre côté du filet, **SANS LE CASSER!** L'équipe qui aura brisé le moins de cocos sera déclarée la grande gagnante! Bonne chance à tous!!!

Rapidement, Yohan descend de son escabeau afin de quitter le terrain, mais ce n'est pas assez vite au goût de certains participants, car il reçoit deux œufs droit sur le crâne. Ceux-ci lui coulent dans les cheveux et le garçon grogne en lui-même. Il aura besoin d'une bonne douche, ce soir, s'il veut se débarrasser de tout ce qu'on lui aura lancé durant la journée!

—Hé! Attendez que je...

SPLASH! Encore un œuf, dont la coquille vient durement s'écraser sur son oreille droite. Grrr... En plus, ça provient de Mathéo, son propre coéquipier! Mais en y regardant de plus près, Yohan remarque les encouragements subtils

que Jean-Noah
Lesgrosbras lui envoie.
C'est sûrement ce dernier
qui a incité Mathéo à
le prendre pour cible...
Tout cela parce qu'il n'a
pas voulu tricher !

QUELLE bande de mauvais perdants !

Yohan presse le pas pour
sortir du terrain, en se
protégeant comme il le

peut des bombardements d'œufs provenant de toutes parts. Quand enfin il se croit hors d'atteinte, il se redresse et se tourne vers les deux joueurs qui s'affrontent… et reçoit un dernier projectile en plein visage !

— **Oups !** Désolé, j'ai mal visé ! s'excuse aussitôt l'élève de l'École des Gâteaux, contre qui Mathéo est en train de jouer.

— Ça va, il n'y a pas de mal, rétorque Yohan, le nez rouge.

La partie reprend alors de plus belle et les œufs

volent et s'écrasent à
un rythme endiablé.
Quelques minutes plus
tard, un dernier coco,
lancé par l'adversaire de
Mathéo, termine son vol
plané dans l'herbe, à
l'extérieur du terrain.
C'est d'ailleurs le seul
qui ne se brise pas...

Pas de doute possible,
c'est l'École des Gâteaux
qui remporte cette
première partie.

Les deux participants quittent le court de tennis couverts de jaune d'œuf. Lorsque les deux autres joueurs se présentent à leur tour, ils doivent s'exécuter sur un terrain plutôt... glissant !

 L'un des deux vient justement de tomber sur le menton.

 L'autre a suivi de près et bascule sur les fesses.

Les jeunes se relèvent courageusement et continuent de jouer, malgré les conditions difficiles.

Lorsqu'ils envoient
leur tout dernier coco,
c'est avec stupeur que
l'homme-fée, arbitre pour
la journée, doit faire un
dur constat : aucune des
deux équipes n'a réussi
à garder le moindre œuf
intact… L'École des
Gâteaux conserve donc
son avance pour
le moment.

Se présente alors
la dernière équipe, celle

de l'**école du chaos**.

Puisqu'elle n'a pas
d'adversaire contre qui
jouer, elle devra lancer
ses balles contre le mur de
briques le plus proche...

Ses chances sont assez minces de ne rien briser !

La jeune représentante pour ce défi s'avance, lève sa raquette dans les airs et envoie un premier œuf. Qui ne tient pas la route face à la brique sur laquelle il s'écrase ! La douzaine de cocos est vite épuisée et, comme on aurait pu le prédire, aucun d'eux n'a survécu.

Le décompte est rapidement connu. C'est l'École des Gâteaux qui remporte cette épreuve. Ses élèves sautent de joie en entendant les résultats. Ils s'empiffrent de bonbons et font éclater un plein bol de popcorn pour célébrer leur victoire.

Les autres participants
retournent à leur quartier
et discutent stratégie.
Pas question de se laisser
battre sans riposter!
Pendant que certains
jurent de se venger de
cette humiliation, d'autres
élaborent des plans pour
réussir le prochain défi,
peu importe de quoi
il sera question.

Yohan est le seul à regarder le terrain de tennis de son école avec découragement. Enfin, peut-être pas le seul… Non, en effet, le concierge vient d'être appelé en renfort avec guenille et seau d'eau. Son visage exprime tout le désarroi du monde. Devant lui s'étalent des mètres et des mètres de liquide visqueux, huileux et

poisseux. Sans oublier cette odeur immonde qui fait retrousser le nez aux plus invulnérables.

C'est un lac d'œufs écrabouillés… De quoi cuisiner une grosse omelette, songe Luigi, en descendant de sa chaise haute d'arbitre. Si sa vraie baguette magique était encore en fonction, il n'aurait pas hésité

une seconde, car
son repas favori est
sans aucun doute
l'omelette espagnole!

Le regard de l'homme-
fée tombe alors sur une
raquette de tennis,
abandonnée dans un coin
du terrain. Raquette…
baguette… C'est presque
pareil, non? Pourquoi ne
pas essayer?

Personne ne prend garde
au lapin zinzin qui se
dépêche de ramasser
la raquette, l'agite dans
les airs devant lui et
formule des paroles
incompréhensibles. Il faut
dire qu'avec son accent,
c'est plutôt compliqué
de saisir tout ce que
Luigi raconte... Mais si
quelqu'un s'y attardait,
ça ressemblerait à ceci :

« Abracadabri,
abracadabra,

yé souis la meilleure fée
qui soit… et y'aimerais
qué ces douzaines d'œufs
sé transforment en
la plous grosse omélette
qui soit ! »

POUF ! Le concierge

vient à peine de tourner

le dos au terrain, pour plonger sa guenille dans son seau d'eau, qu'une explosion se produit. Puis, un étrange « **cocorico** » résonne derrière lui.

— Mais qu'est-ce que c'est que ça...? se demande l'homme en ouvrant de grands yeux éberlués.

C'est qu'à la place d'un terrain rempli d'œufs,

il a maintenant devant lui
une poule quasiment aussi
haute que l'école! N'y
comprenant rien à rien,
le concierge recule
lentement, avant de
se mettre à courir en
direction opposée,
tout en hurlant de terreur,
la poule sur les talons!

Luigi, pour sa part,
redépose la raquette.
Celle-ci doit avoir

un léger défaut de
fabrication, pour avoir
confondu omelette et
poulette... Puis, comme
si rien de tout cela n'était
sa faute, il file rejoindre
Yohan, qui est déjà prêt
à annoncer la troisième
épreuve...

Chapitre 10

Tous à la garderie !

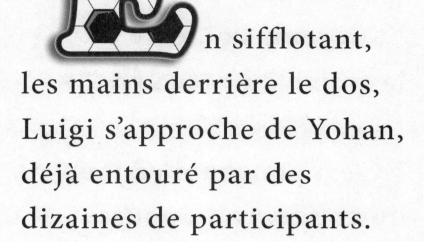En sifflotant, les mains derrière le dos, Luigi s'approche de Yohan, déjà entouré par des dizaines de participants.

Ces derniers sont fébriles. Avec raison ! S'ils ne remportent pas au moins **UNE** épreuve, ils pourront se traiter eux-mêmes de tous les noms dont ils ont osé

affubler l'école de Yohan !
Et devenir la crème de
la crème du « **zozotisme** » !

C'est pourquoi ça joue
du coude, ça se pousse
un peu sans que ça
paraisse, jusqu'à ce qu'une
réelle bousculade se
déclare à l'arrière de la
foule. Chaque jeune qui
reçoit un coup dans le dos
tombe vers l'avant, ce qui
fait basculer celui qui se

tient juste devant lui.

Et ainsi de suite… Ce jeu
de dominos grandeur
nature a vite fait d'arriver
jusqu'aux pieds de Yohan.
Pour une fois dans sa vie,
celui-ci peut regarder de
haut **TOUS** les joueurs,
couchés à quelques
centimètres seulement
de ses orteils !

Un peu déboussolé
par ce qui vient de se
produire, le garçon se
racle la gorge, pour
reprendre contenance,
avant de se lancer dans
l'explication de ce qui
va suivre.

—Bon! Pendant que
vous vous... reposez,
je vais en profiter pour
vous parler du prochain
défi. Il s'agit d'une course.

Mais pas n'importe laquelle, évidemment ! Une course de **POUSSETTES !**

Et comme nous n'avons pas le matériel nécessaire sur le terrain, nous allons tous… **À LA GARDERIE !**

Avant même qu'il ne termine son explication, les participants se sont

relevés à la vitesse grand V et filent déjà en direction de la garderie la plus proche: Les Couches pleines! Avec ses petites jambes, Yohan ne parvient pas à les rejoindre et, pour leur donner les consignes de l'épreuve, il décide donc de leur texter l'information grâce à son épinglette.

Yohan

Tous les membres de chaque école peuvent participer à ce défi. Il vous suffit de vous trouver une poussette et de vous rendre le plus vite possible sur la ligne d'arrivée!

Et elle est où, cette ligne d'arrivée?

En fait, il s'agit du Ravin aux mille roches. Vous connaissez?

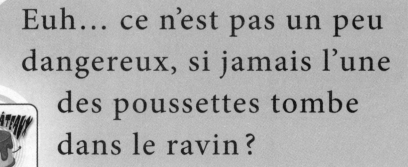

Euh… ce n'est pas un peu dangereux, si jamais l'une des poussettes tombe dans le ravin?

Bien sûr que non!
C'est justement ça
qui est intéressant!!

HA! HA! HA!

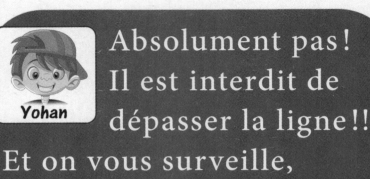**Yohan**

Absolument pas! Il est interdit de dépasser la ligne!! Et on vous surveille, les élèves de l'École du Chaos!!! Mais s'il arrive un accident, nous avons fait installer un énorme matelas tout en bas du ravin…

Au loin, Yohan aperçoit
déjà des joueurs devant
le bâtiment de la garderie
Les Couches pleines.
Certains élèves ont une
poussette entre les mains
et se déplacent vers
le ravin. C'est alors que
Yohan remarque un détail
qui cloche...

Yohan

HÉ! Il est aussi interdit de kidnapper des enfants dans les poussettes! Vous devez vous assurer qu'elles sont vides quand vous les prenez!!!

OK?

Mais si l'enfant ne veut pas descendre…?

École du chaos

En effet, en plissant les yeux pour mieux voir, Yohan remarque que la majorité des enfants encore assis dans leur poussette ont l'air très heureux de courser. Ils éclatent de rire à la moindre bosse et lèvent les bras dans les airs,

en signe de victoire, quand ils dépassent une autre poussette.

En soupirant, le garçon essaie d'accélérer le pas, du haut de ses petites jambes, mais il n'y parvient pas...

Un mouvement juste à côté de lui le fait alors sursauter.

—Bonyour, pétite homme. Tou aurais bésoin d'oune coup dé main?

— Ah, c'est toi! s'exclame Yohan en voyant Luigi courir à sa droite. Oui, je voudrais bien rejoindre les autres, mais je ne suis pas assez rapide…, se désole-t-il.

— Hum… Y'ai peut-être oune solution pour toi…, murmure l'homme-fée en fouillant dans sa poche arrière. Régarde cé qué y'ai ramassé en vénant té réjoindre!

Et il plante un long bout de plastique un peu croche juste devant les yeux du garçon.

— Si je ne me trompe pas, c'est une poignée de poussette, ton truc.

— Mais non! s'insurge Luigi. C'est oune **baguette mayique!**

—Si tu veux. Qu'est-ce que tu comptes en faire, de ta baguette de plastique?

—Tou vas voir…, répond-il mystérieusement.

Luigi agite alors celle-ci, prononce quelques phrases tout à fait incompréhensibles qui ressemblent vaguement à :

« Abracadabri, abracadabra,

yé souis la meilleure fée
qui soit… et y'aimerais
qué les yambes dé cet
enfant s'allongent ! », avant
de brandir sa baguette très
haut. Un minuscule « POUF! »
se fait entendre au bout du

bâton, mais rien ne semble avoir changé autour d'eux.

Rien ? Pas vraiment… Car Yohan se rend vite compte qu'il a de la difficulté à tenir debout. En fait, ses genoux sont aussi mous que du jello ! Il glisse malgré lui et s'étale sur le sol. Le plus étrange, c'est qu'il arrive maintenant à faire le grand écart sans le moindre effort !

Il jette un coup d'œil inquiet à ce qui lui servait autrefois de jambes, pour constater avec effroi qu'il possède désormais deux longues rallonges pour arroser le jardin! On dirait des serpents qui vont dans tous les sens!

311

**— MAIS QU'EST-CE
QUE TU M'AS FAIT???**

s'écrie-t-il, en tentant de
s'agripper à Luigi.

— Euh… yé né souis pas
certain… Cé bâton m'avait
pourtant l'air dé faire
l'affaire…

**— TU VAS M'ARRANGER
ÇA, ET TOUT DE SUITE!!!**

continue de hurler Yohan,
en essayant en vain de
se relever.

L'homme-fée se concentre et recommence le même manège avec sa baguette de plastique.

Il inverse quelques mots, change sa tournure de phrase, pour enfin brandir de nouveau sa baguette dans les airs. Cette fois, le « POUF! » qui retentit est beaucoup plus fort que le premier.

314

Et Yohan retrouve
ses jambes initiales !
Ses vraies jambes ?
Pas tout à fait... Car,
en se remettant debout,
le garçon s'aperçoit qu'il
a encore perdu quelques
centimètres ! Oh là là !
Dans quel pétrin son
homme-fée l'a-t-il mis
de nouveau ?!?

Yohan n'a pas le temps
de s'attarder à la question.

Déjà qu'il vient de perdre de précieuses minutes. Les participants doivent être tout près du ravin, désormais. Il doit se dépêcher! Il décide donc de prendre un raccourci, d'enjamber les haies de cèdres des voisins, d'emprunter la trottinette d'un gamin de trois ans (qui est juste à la bonne hauteur pour lui), d'utiliser la grande

glissade du parc
avoisinant le ravin
pour finalement atterrir
bon dernier à la ligne
d'arrivée...

LOOSER!

Cette fois, c'est un
membre de l'École du
Chaos qui saute de joie.
Son sourire le rend même
un peu plus sympathique.
Il a attrapé le bébé qui

était assis dans sa poussette et le fait danser avec lui. Yohan ne peut pas être déçu très longtemps devant cette manifestation de bonne humeur. Et ce, même si ce n'est pas **SON** école qui a remporté l'épreuve.

Ce n'est toutefois pas la réaction de son entraîneur, Jean-Noah Lesgrosbras, qui chuchote

quelque chose à l'oreille
de Mathéo, qu'il a attiré
avec lui loin de la foule.
Yohan remarque leur
manège, mais décide de ne
pas intervenir. Après tout,
il a encore bien du travail
sur la planche afin de
préparer les deux
derniers défis.

Les poussettes sont
donc rapportées à leur
propriétaire, ainsi que

les enfants assis dedans.
Puis, chaque école
retourne dans la cour
en attendant les
prochaines instructions.

Le décompte des résultats donne maintenant ceci :

1 point pour
l'École des Zozos

1 point pour l'École
des Gâteaux

1 point pour
l'École du Chaos

La compétition est très chaude...

ohan a
demandé à tous les
participants de venir se
placer devant l'immense
mur de l'école. Celui fait
de briques.

Celui qui a déjà avalé
des milliers de balles
de tennis, de ballons
de soccer, de moineaux de
badminton et de rondelles
de hockey, car il est

beaucoup trop haut
pour qu'on puisse aller
récupérer les objets
sur le toit !

Lorsque Yohan lève
les yeux pour tenter
d'apercevoir le haut du
mur, cela lui fait mal au
cou. Il faut dire qu'avec les
centimètres qu'il a perdus
À CAUSE DE LUIGI (!!!),
la chose est encore plus
ardue pour lui.

Mais le garçon a pensé à une solution parfaite pour cette quatrième épreuve. Épreuve qui consiste, d'ailleurs, à escalader ce fameux mur... Ce que les élèves de toutes les écoles trouvent carrément dément, et ils s'empressent de le lui dire de mille et une façons :

— Aucune chance qu'on se rende jusque-là à moins d'avoir des ventouses à la place des doigts ! lui lance une jeune fille de l'École des Matelots, qui est justement en train d'examiner une araignée qui passait par là.

— Non mais, tu es complètement fou !
Ce mur a été construit pour se casser la margoulette,

c'est certain! s'énerve
un garçon de l'École
des Châteaux en
grimaçant.

— Moi, je suggère au
moins d'essayer, mais à
l'aide d'un accessoire
ou deux. Et après avoir
mangé une bonne
collation, évidemment!
ajoute un participant
de l'École des Gâteaux,
en se frottant le ventre,
qui glougloute sans arrêt.

— Ce défi n'aurait jamais
dû figurer sur la liste
de ton livre des records
Réglisse! s'insurge
Mathéo, en jetant
un regard nerveux vers
son entraîneur, Jean-Noah
Lesgrosbras.

— Et ma maman ne
voudra jamais que j'y
grimpe! Surtout avec
mon vertige, ajoute un
des élèves les plus musclés

de l'École du Chaos,
les larmes aux yeux.

**Ce qui étonne
tout le monde...**

Pour calmer le jeu,
Yohan reprend la parole
et explique qu'il existe
une solution aux
problèmes de chacun.

D'abord, un seul joueur par école participera à l'épreuve. Un énorme soupir collectif accompagne sa déclaration. Ensuite, il faudra que ce joueur ait une **graaaaaaaaaande** bouche…

Des regards interloqués sont échangés. Qu'est-ce que c'est que cette histoire de grande bouche,

encore??? Mais Yohan n'a pas terminé:

— C'est simple. Il faudra tout d'abord piger dans ce pot de gommes à mâcher ultracollantes. Elles proviennent de la boutique Colles et Attrapes. C'est d'ailleurs une commandite du gentil propriétaire, monsieur Croc, qui tient à vous rappeler qu'«une gomme par jour rapproche le dentiste pour toujours!» lance Yohan.

Et il pointe une affiche où on peut voir le slogan du magasin, ainsi qu'une image de gomme grosseur géante.

—Bref…, continue-t-il, mâchez le plus de gommes possible. Une fois que vous aurez un bon gros morceau gluant dans la bouche, utilisez-le comme ventouse pour grimper jusqu'en haut du mur de briques. En résumé, vous allez construire votre propre mur d'escalade grâce à vos gommes!

Un gros pot rempli de gommes de toutes les couleurs a été déposé au centre de la cour. Celles-ci sont rondes et brillantes.

Chaque école se réunit et
discute de celui qui a la
plus grande bouche. Chez
les Zozos, c'est Bastien qui
est choisi. C'est vrai qu'il
parle tout le temps, celui-
là! Les Matelots incitent
un grand maigrichon
à participer. Mauvais
choix, songe Yohan,

en remarquant que
le garçon possède de
grandes jambes, mais
une minuscule bouche...

Les Châteaux ont de
la difficulté à se décider.
Finalement, c'est une
jeune fille qui mâche déjà
de la gomme et qui fait
d'immenses balounes avec
celle-ci qui prend place
devant le pot. Chez les
élèves du Chaos, c'est

carrément la cohue !
Les jeunes se bousculent
pour ne pas participer.
Qui aurait cru que la
majorité d'entre eux avait
le vertige ?!? Mais un
garçon est enfin désigné
(par obligation ?) et on
le pousse vers le pot à
son tour, malgré ses
tremblements de genoux.

Pour les Gâteaux,
c'est tout le contraire...

C'est à qui aura le privilège de représenter leur équipe! Une fillette rousse obtient un vote unanime et se joint aux autres participants.

Quand enfin les choix sont arrêtés, Yohan se place sur la ligne de départ, lève le bras et crie un retentissant!

Les cinq élèves sautent
dans le plat de gommes.
Ils mâchent, mâchouillent,
mastiquent, jouent de
la langue et salivent tant
qu'ils le peuvent.

La rouquine est la
première à coller une
grosse chiquée de gomme
sur le mur. C'est qu'elle a
toute une bouche, celle-là !
Bastien la talonne de près
et pose quelques boules

sur la brique à son tour.
Ils réussissent bien vite
à prendre de l'avance
sur les autres.

Puis les retardataires
se mettent à grimper eux
aussi. Seul le jeune aux
grandes jambes de l'École
des Matelots prend de plus
en plus de retard.
Visiblement, sa bouche
trop petite ne l'aide pas
pour mâcher de la gomme!

Pourtant, le garçon fait
des efforts énormes.
Son visage est rouge et
il souffle aussi fort qu'un
taureau. Ses joues sont
gonflées et ses yeux,
exorbités. Il fait peine
à voir.

Yohan en a tellement
pitié, en fait, qu'il ne peut
s'empêcher de souhaiter
qu'il se ressaisisse.
Et pourquoi ce joueur ne

gagnerait-il pas, même s'il fait partie d'une équipe adverse? Yohan a dû parler à voix haute sans s'en rendre compte, car Luigi, venu se placer à ses côtés, lui répond très joyeusement :

— C'est comme si c'était fait !

Et il attrape l'affiche du magasin de gommes,

343

la brandit dans les airs
et marmonne ses paroles
magiques. Ce qui
ressemble à peu près à :

«Abracadabri,
abracadabra,

yé souis la meilleure fée
qui soit... et y'aimerais
qué cé gringalet soit lé
gagnant dé cé défi!»

—Noooooooon !
crie Yohan.

Mais il est trop tard
pour briser le sortilège
lancé par l'homme-fée.
En plus, pour une fois, sa
magie semble fonctionner
correctement…

En effet, le garçon aux
longues jambes se met à

mâchouiller sa gomme
à un rythme fou.
On croirait même qu'il va
s'étouffer, s'il ne se calme
pas un peu.

Le voici maintenant qui
colle et recolle le tout sur
les briques. En un temps
record, il escalade la
paroi, dépasse Bastien et
sa concurrente la plus
proche, pour arriver bon
premier en haut du mur !

Le seul hic, c'est qu'il ne
s'arrête pas là ! Oh non !

Il continue son manège
et plaque de la gomme
partout sur le toit de
l'école. Bientôt, celui-ci
est couvert d'une glu rose,
bleue, verte et jaune.
En fait, il n'y a plus moyen
de mettre les pieds nulle
part sans que ceux-ci
restent pris dans
la gomme.

DÉ-GUEU-LAS-SE!!!

Le garçon ne cesse
son manège qu'une fois
la dernière gomme du pot
mâchée, gracieuseté
de monsieur Croc,
de la boutique Colles
et Attrapes! Ouf! L'École
des Matelots vient
chercher son joueur
et le ramène auprès
des siens.

Son regard est un peu
fou, désorienté, ce qui
commence sérieusement
à inquiéter Yohan.
Sans oublier que le joueur
ouvre la bouche et essaie
de croquer tout ce qui lui
tombe sous la dent...
Lorsque Yohan lance
un regard sévère à Luigi,
celui-ci sifflote dans
son coin, comme si
de rien n'était.

—**Luigi! Tu vas m'arranger ça, et tout de suite!**

—**OK, OK!** Pas bésoin dé crier, pétite homme… Yé m'en charge.

—En plus, à cause de toi, c'est une autre école qui a remporté cette épreuve! Je me demande à quoi tu me sers, en tant que parrain, toi!

Tu ne fais que des gaffes depuis que je te connais!

— Hé, ho! C'est faux! C'est toi qui voulais qué cé yeune gagne! Réfléchis oune peu aux vœux qué tou fais, amigo! Et yé trouve ça très yentil dé ta part, d'avoir souhaité céla...

— Yentil? répète Yohan, en fronçant les sourcils.

—Si! Yentil! Ou yénéreux, si tou préfères!

—Yénéreux? répète encore Yohan, de plus en plus perplexe. Ah, tu veux dire généreux! Bien, non. Je ne suis pas généreux, c'est juste que leur école tirait de l'arrière et je trouvais ça dommage...

—Tou vois? C'est exactément cé qué yé

veux dire… Tou es oune très bon garçon, tou sais. Et cé n'est pas tout dé gagner, dans la vie…

—Bien sûr que c'est important, de gagner! Pourquoi crois-tu que

j'organise cette
compétition? Pour
pouvoir inscrire mon
école dans le grand livre
des records Réglisse!
Pas pour laisser les autres
nous voler cet honneur
et nous humilier une
fois de plus!

Luigi secoue la tête,
mais ne rajoute rien.
De toute manière,
il n'en aurait pas le temps,
car il doit encore régler
le problème du garçon aux
grandes jambes (qui tente
d'ailleurs de grignoter le
bras de son entraîneur).
Yohan, lui, a une dernière
épreuve à préparer...

chapitre 12

Comment réussir à remplir le banc des punitions, bourrer son propre filet de ballons et, malgré tout, gagner la partie!

Les membres de chaque école se sont regroupés dans un coin de la cour. Les fins observateurs auront remarqué qu'il y a quatre coins dans une cour et qu'il y a bel et bien cinq écoles... La cinquième équipe a donc pris place en plein centre du terrain. Et ça discute stratégie un peu partout.

En particulier chez les **ZOZOS**, pour qui il est absolument **HORS DE QUESTION** de perdre! Ils n'ont pas organisé cette compétition pour rien, après tout!

De son côté, Yohan demeure silencieux et songeur après sa courte discussion avec Luigi. Il écoute distraitement son entraîneur donner

des conseils à chacun.
Même lorsque Jean-Noah
Lesgrosbras suggère de
passer outre à certains
règlements, le garçon,
perdu dans ses pensées,
ne réagit pas.

C'est pourquoi, lorsqu'il
est temps pour lui d'aller
expliquer la nouvelle
épreuve aux participants,
il se relève et quitte ses
camarades sans se douter
de leurs manigances...

Se plantant devant
les jeunes assis tout près
du terrain de soccer,
Yohan élève la voix.

—Bon… voici le
cinquième défi que nous
vous proposons. Je vous
rappelle que quatre écoles
sur cinq ont déjà gagné
une épreuve. Seuls les
Châteaux n'y sont pas
parvenus.

Un grondement se fait entendre dans la cour, car les élèves de l'école mentionnée n'apprécient pas le fait d'être ainsi rabaissés. Yohan le remarque aussitôt et, mal à l'aise, il essaie d'encourager tout le monde à faire de son mieux.

—Jusqu'ici, chaque participant a été incroyable! Peu importe qui a gagné! Comme me le disait dernièrement un... un grand ami à moi: «Cé né pas tout dé gagner, dans la vie!»

Des visages troublés apparaissent dans la foule, car personne ne comprend pourquoi Yohan parle avec cet accent étrange.

Il secoue la tête et change de sujet.

— Pour cette compétition, vous ne serez pas dépaysés, car... nous jouerons une partie de soccer! Pas n'importe laquelle. Il faudra courir avec les **YEUX BANDÉS!** Et il est **INTERDIT** de toucher un joueur, qu'il soit dans l'équipe adverse ou non. De plus, aucun participant n'a le droit

d'entrer dans le filet.
Ce qui signifie que les
gardiens de but sont
totalement inutiles.
J'espère que j'ai été assez
clair… Toutes les équipes
pourront s'affronter en
même temps, puisque
nous mettrons des filets
partout sur le terrain !
Encore une fois…

QUE LE MEILLEUR GAGNE !!!

Aussitôt, les joueurs de
toutes les écoles prennent
le bandeau que leur tend
leur entraîneur, l'attachent
et sautent sur le terrain à
la recherche d'un ballon.
Cette fois, Yohan est de la
partie et court dans tous
les sens, sans savoir où
il se dirige. Heureusement
pour lui, il est si petit
qu'il ne heurte personne,
passant carrément entre
les jambes des autres
joueurs!

En fait, le garçon est si doué qu'il touche tous les ballons qu'il rencontre et les lance presque toujours dans un des filets.

Les buts des autres équipes se remplissent et bientôt il n'y a plus aucune place pour y ajouter le moindre ballon. Seul le filet de l'École des Zozos est étrangement vide...

Après plusieurs minutes de jeu, la sonnerie annonçant la fin de la partie résonne dans toute la cour. Yohan relève son bandeau et se rend compte qu'il est **LE SEUL** joueur encore sur le terrain! Les autres se sont tous fait toucher et le banc des pénalités est bondé!

Le premier réflexe
du garçon est de sauter
de joie, jusqu'à ce qu'il
aperçoive Luigi, qui a
croisé les bras et qui
observe le terrain avec
colère. Qu'est-ce qui a
bien pu se passer pendant
que lui et les autres
avaient les yeux bandés?
Pour communiquer avec
l'homme-fée sans que
quiconque le voie,
Yohan décide d'utiliser
son épinglette.

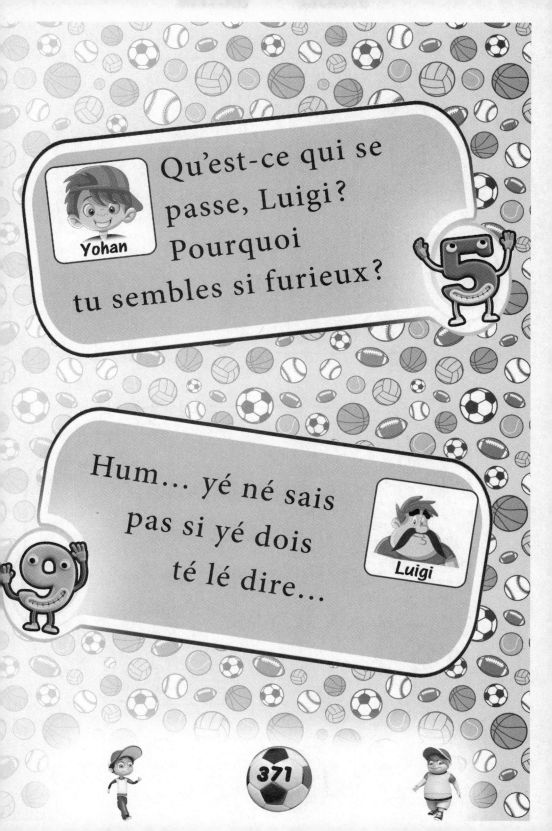

 **Yohan**

Mais bien sûr que tu dois me le dire! Je suis l'organisateur des jeux, je dois tout savoir!

D'accord, mais tou n'aimeras pas cé qué tou vas découvrir...  **Luigi**

Ce n'est pas grave,
je t'écoute.

Avant que Luigi ait eu
le temps de lui répondre,
l'École des Zozos s'est déjà
précipitée sur le trophée
qui doit être remis à la
fin de la compétition.
Jean-Noah Lesgrosbras
le montre d'ailleurs à tous,
fier comme un paon.

Il ne tarit pas d'éloges
à l'endroit de ses joueurs.
Seul Mathéo, un peu en
retrait, hésite à fêter avec
ses coéquipiers.

Yohan est entraîné
par cette vague de joie
et arrive justement à
la hauteur de Mathéo.

Celui-ci lui agrippe
le bras et lui chuchote
à l'oreille :

On n'aurait pas dû gagner...

—Pourquoi tu dis ça ?
riposte Yohan, énervé.
J'ai marqué des buts dans
tous les filets adverses.
Pour une fois que je joue
mieux que les autres !
On dirait que tu ne tolères
pas que ce soit moi,
le champion du jour !

375

—Ce n'est pas ça du tout, voyons! Tu as super bien joué. La question n'est pas là.

Quel est le problème, alors?

Mathéo se mord les lèvres, regarde autour de lui et s'assure que

personne ne les écoute,
avant de murmurer:

— Notre entraîneur
a triché… Il y avait
un trou dans notre filet
et les ballons ont tous
passé au travers.

— **QUOI?!?** Mais
comment tu peux le savoir?
Tu avais les yeux bandés,
comme nous tous!

Cette fois, Mathéo prend un air piteux. Puis, il finit par avouer :

— Parce que c'est moi qui ai fait le trou. Jean-Noah Lesgrosbras m'a dit que, si je refusais de le faire, je serais expulsé de l'équipe. Je n'avais pas le choix ! D'un autre côté, je n'aime pas l'idée de gagner en trichant... D'après toi, qu'est-ce qu'on devrait faire ?

Yohan est pris
de court. Il a de la
difficulté à croire ce
qu'il entend. Comme
pour lui prouver que
Mathéo a bien dit
la vérité, il reçoit
un dernier message
en provenance
de l'homme-fée.

Ton équipe a triché! Si tou veux t'en assurer, va vérifier dans lé coin droit dé votre filet. Il y a oune trou. À toi dé voir si tou acceptes dé gagner dans ces conditions. Ou si tou préfères donner la victoire à oune autre équipe...

Luigi

chapitre 12+1

Être un gagnant ou un perdant?

’un pas lourd, Yohan passe et repasse derrière le filet de sa propre équipe. Pas de doute possible. Il y a bel et bien un trou dans un coin. Et même s'il confond parfois sa droite et sa gauche, il sait que ce trou n'a rien à faire là !

Le voilà qui se retourne et revient sur ses pas.

Le garçon marmonne
en lui-même, sans
savoir comment réagir.
S'il dévoile la tricherie,
non seulement son équipe
sera disqualifiée, mais
il sera aussi rejeté de tous
les autres joueurs. Adieu,
son ambition de faire
partie de l'équipe de
soccer de son école!
Lui qui se faisait une joie
d'avoir enfin une chance
de l'intégrer, après
le succès de ce match...

Encore un tour sur lui-même, direction inverse.

Dire qu'il était si près du but! Mais à cause de son entraîneur, il pourrait ne jamais voir son rêve se réaliser! D'un autre côté, s'il se tait et qu'il fait comme s'il n'était pas au courant... peut-être que personne ne s'en rendrait compte? Peut-être qu'il pourrait simplement dire qu'il n'a rien vu, rien entendu ?

Il change de bord et marche plus lentement, en réfléchissant.

Oui mais... Comment pourrait-il se regarder encore dans le miroir en agissant de la sorte ? Après tout, n'est-ce pas lui qui disait devant tous

les participants que «cé né pas tout dé gagner, dans la vie!»???

Retour sur ses pas, pour la centième fois depuis moins de cinq minutes!

 Il frappe de plein fouet Jean-Noah Lesgrosbras, qui a remarqué l'expression sur le visage de Yohan et qui vient voir ce qui le tracasse.

  387

—Hé! Salut, le jeune!
Alors... euh... tu...
tu vas bien? On a gagné!
Tu devrais être content,
non? En plus, c'est un peu
grâce à toi, avec tous les
buts que tu as marqués!

—Ouais, c'est sûr que
j'ai bien joué...

—Dans ce cas,
je te laisse aller annoncer
le grand gagnant!

On compte sur toi,
tu le sais, non ?

L'entraîneur a déjà
tourné les talons, mais
Yohan ne peut s'empêcher
de le héler :

— Dites… euh… vous
croyez vraiment qu'on
la mérite, cette victoire ?

Jean-Noah Lesgrosbras
revient sur ses pas,

389

regarde de tous les côtés,
puis se penche vers
le jeune garçon, suspicieux.

— Qu'est-ce que
tu veux dire ?

Yohan hausse les
épaules, ne sachant
trop comment aborder
la question. Il finit tout
de même par lâcher :

—C'est quand même bizarre qu'il n'y ait eu aucun ballon dans notre filet, vous ne trouvez pas?

L'entraîneur garde le silence un long moment. Il plisse les yeux. Il pince les lèvres. Ses oreilles deviennent rouges, signe qu'il est très très en colère. Mais il se retient pour ne pas exploser et gronde tout bas:

—Je t'avertis, Lenain. Si tu dis quoi que ce soit qui pourrait nous faire perdre, il n'y a **AUCUNE CHANCE** que tu fasses un jour partie de notre équipe de soccer. **AUCUNE!** J'espère que je suis clair...

Yohan avale de travers. C'est confirmé. S'il s'ouvre la bouche, il peut mettre une croix sur son rêve.

S'il se la ferme…
il a encore une chance.
Alors, les épaules
affaissées, avec un poids
énorme sur la conscience,
le garçon s'avance sur
la scène principale.
Devant lui, la foule
l'observe.

Dans le coin droit,
l'École des Matelots a
perdu tout espoir et
ses élèves sont écrasés

par terre, désillusionnés.
Dans le coin gauche,
les élèves de l'École du
Chaos, de très mauvais
perdants, sont déjà en
train de se battre entre
eux, par frustration.
Ils lancent même des
ballons dans tous les sens,
en essayant de frapper
quelqu'un au hasard.

En plein centre, l'École
des Gâteaux n'a plus faim.

Personne ne mange quoi que ce soit. Juste à côté, les jeunes de l'École des Châteaux remballent leurs affaires, sans même prêter attention à Yohan. Et de l'autre côté, Jean-Noah Lesgrosbras se tient debout, devant les jeunes de l'École des Zozos.

Les amis de son équipe lui sourient. Ils ne se doutent de rien. Sauf...

... Mathéo, qui a l'air grave. Et Luigi, qui est près de lui. Yohan a de la difficulté à les regarder. Il sent qu'ils vont le juger. Son cœur bat la chamade. Il est d'ailleurs si préoccupé qu'il n'aperçoit pas le ballon lancé par un joueur de l'École du Chaos et qui se dirige droit sur lui. Il le reçoit en pleine figure et titube vers l'arrière.

Le voilà qui recommence
à voir des oiseaux tourner
autour de sa tête.

Des oiseaux qui se mettent
à grossir, grossir, grossir…
En fait, ils deviennent si
énormes que Yohan en
perd l'équilibre et se
retrouve sur le plancher.

Il vient de tomber à la renverse. Et avant que tout ne devienne noir devant ses yeux, une pensée lui traverse l'esprit. Il se demande ce qu'il veut être, dans la vie: un gagnant ou un perdant?

chapitre 14

Et pourquoi pas les deux?

Vite, c'est l'état d'urgence autour de Yohan. La moitié des élèves s'envoient des textos pour annoncer la nouvelle à leurs amis, tandis que la rumeur se répand dans la cour d'école.

Yohan Lenain vient encore une fois de tomber dans les pommes!

Tous les élèves

On le transporte sur une civière à travers la foule jusqu'à l'infirmière, madame Seringue, présente sur le terrain durant toutes les épreuves, au cas où un élève se blesserait. Celle-ci l'ausculte de bas en haut, puis de haut en bas. Étant donné qu'il est plus petit qu'avant, la manœuvre prend encore moins de temps...

Ce n'est qu'à ce moment que Yohan reprend connaissance, toujours un peu étourdi, mais heureux d'être encore en vie. Et sachant résolument quoi faire, désormais. Ce coup a été bénéfique, en fin de compte…

Il repousse donc l'infirmière, saute sur ses deux pieds et cherche

Luigi des yeux, mais aucune trace de celui-ci. Sans y prêter attention, il se précipite de nouveau sur scène, où il s'écrie :

—Désolé pour cette interruption ! Bon, alors je me vois dans l'obligation de vous dire que... l'École des Zozos est éliminée de la compétition !

Tandis que Jean-Noah
Lesgrosbras hurle de
frustration, Yohan
continue sur sa lancée:

—Oui! Quelqu'un a
percé un trou dans leur
filet et, ainsi, aucun but
n'a pu être marqué. J'ai fait
un rapide décompte des
autres points de chaque
équipe et… c'est l'École
des Châteaux qui
remporte cette épreuve!
Ce qui veut dire que

TOUTES les écoles ont remporté au moins une victoire. Donc… il n'y a aucun gagnant et aucun perdant !

Tous les élèves, sauf ceux de l'École des Zozos, sautent de joie. Yohan sait qu'il vient de se faire plusieurs ennemis, dont l'entraîneur, mais en apercevant Mathéo grimper sur la scène et lui faire l'accolade, il sait

qu'il a agi pour le mieux.
Ce n'est que lorsqu'il
s'apprête à redescendre
qu'il entend une voix
chantante au micro, avec
un léger accent espagnol...

— Bonyour à tous !
Trèèès heureux d'être
ici auyourd'houi pour
inscrire lé nom dé vos
écoles dans mon grand
livre des récords Réglisse !
Pouisque yé souis lé
gardien dou livre,
c'est à moi dé lé faire...

Yohan porte la main à son visage et se frotte les yeux pour s'assurer qu'il ne rêve pas. Ainsi, l'homme-fée était nulle autre que le gardien du livre !

— Il y avait oune dernier règlement qué vous né connaissiez pas, amigos, et qué vous né deviez lire qu'à la fin dé la compétition : pour gagner, il fallait être honnête. Et lé pétite Yohan a été plous qu'honnête, non? C'est pourquoi yé vais pouvoir écrire lé nom dé **TOUTES** vos écoles! Même celle des **ZOZOS**!

C'est dans la joie et l'allégresse que Yohan se joint aux festivités. Grâce à son honnêteté, son école a gagné, elle aussi. Bien sûr, Jean-Noah

Lesgrosbras ne peut partager les honneurs. Alors qu'il est escorté loin de la cour, il exprime sa rage en hurlant qu'il n'a pas dit son dernier mot…

Yohan, lui, sent qu'il va peut-être enfin réaliser son rêve : intégrer l'équipe de soccer. Après tout, une école a besoin de tous ses joueurs, même du plus petit d'entre tous !

chapitre 15

LE LIVRE DES RECORDS RÉGLISSE

Pour toujours dans le livre des records Réglisse

Face à Luigi qui lui fait un large sourire, Yohan inspire un bon coup. Il est fier de lui. Et son parrain-fée-gardien du livre, ou quel que soit son nom, a retrouvé son apparence habituelle. C'est-à-dire qu'il porte la moustache avec beaucoup de prestance!

Sur la table qui les sépare, un livre a été posé. Avec une plume traçant des lettres en or, Luigi commence à inscrire le nom de chaque

413

école ayant remporté la compétition. Lorsque cela est fait, il relève la tête et fixe le garçon, avant de lui souffler :

—Tou sais qué lorsqué notre nom apparaît dans lé livre des récords Réglisse, il ne peut en être effacé ?

—Je l'espère bien ! rétorque Yohan, sans se départir de sa bonne humeur.

—Mais cé qué tou né sais pas, cé que cé livre en veut touyours plus… Mainténant qu'il connaît ton nom, il va vouloir qué tou participes à d'autres défis. Té sens-tou capable dé lé faire?

— D'autres défis? répète Yohan en fronçant les sourcils. C'est que l'année scolaire se termine dans quelques semaines et... je pensais être en vacances.

— Hum... Eh bien, cé livre a d'autres plans pour toi, pétite homme. Dans un mois, your pour your, oune compétition mondiale dé pouding sour lé ring aura lieu. Et tou devrais récévoir très bientôt oune

invitation formelle. Y'espère té voir là-bas, amigo…

Et dans un **POUF!**, Luigi disparaît, ainsi que le fameux livre des records Réglisse, abandonnant un Yohan interloqué de savoir que la compétition est loin d'être terminée…

LES ZOZOS DU SPORT : la suite dans le numéro 2

POUDING SUR LE RING